GW00569988

Collana di letture graduate per stranieri

diretta da
Maria Antonietta Covino Bisaccia
docente presso l'Università per Stranieri di Perugia

EDMONDO DE AMICIS

Dagli Appennini alle Ande

Racconto tratto da
CUORE

a cura di
Maria Antonietta Covino Bisaccia
Maria Rosaria Francomacaro

EDIZIONI
GUERRA

ISBN 88-7715-412-8

Disegni di *Simona Pacioselli*

In copertina:
Henry Raeburn, *Fanciullo col coniglio* (particolare), Edimburgo,
National Gallery of Scotland.

4

Indice

Edmondo de Amicis negli ultimi anni.

EDMONDO DE AMICIS

Edmondo De Amicis, quinto figlio di Francesco De Amicis e di Teresa Busseti, nasce nel 1846 ad Oneglia, in Liguria.

Nel 1848, quando Edmondo ha solo due anni, la famiglia si trasferisce a Cuneo, in Piemonte, a causa di impegni di lavoro del padre. Francesco De Amicis, infatti, gestisce il commercio del sale e del tabacco per conto del regno. E' un uomo che lavora tutto il giorno per poter mantenere la sua numerosa famiglia, ma che la sera, essendo un uomo di buona cultura, trova il tempo di intrattenersi con i suoi figli ed essere così il loro primo maestro.

Edmondo De Amicis rimane presto affascinato dalla vita militare e non ha ancora vent'anni quando decide di intraprendere la carriera militare.

E' proprio durante questi anni che in lui cresce sempre più l'interesse per la letteratura e la poesia: non a caso gli altri soldati usavano definirlo "il poeta".

Nel 1866, dopo aver partecipato alla battaglia di Custoza nel corso della terza guerra d'indipendenza dal dominio austriaco, il De Amicis si trasferisce a Firenze perché chiamato a dirigere il periodico militare *L'Italia Militare.* Su questo giornale compaiono i suoi primi scritti: si tratta di racconti educativi e divertenti rivolti agli ufficiali e ai soldati.

In questo modo il suo nome diventa così famoso che De Amicis prende la decisione di abbandonare la vita militare e dedicarsi a tempo pieno alla letteratura e al giornalismo.

Lavora, dunque, come corrispondente de *La Nazione,* quotidiano politico fondato a Firenze nel 1859 e ancora oggi pubblicato, e tra il 1871 e il 1879 pubblica una serie di volumi in cui raccoglie le osservazioni e le impressioni sui paesi che ha visitato durante la sua esperienza giornalistica. Ma la vena artistica del De Amicis si esprime al meglio negli scritti a carattere didattico, che gli permettono di realizzare il suo ideale di scrittore popolare da un lato, e di maestro di vita morale, dall'altro.

Tra le opere principali si ricordano *Gli Amici* (1883), *Sull'oceano* (1889) in cui denuncia le difficili condizioni degli emigranti italiani, *Il romanzo di un maestro* (1890) in cui affronta il problema della scuola popolare, *La carrozza di tutti* (1899) e naturalmente il popolarissimo *Cuore* (1886).

Gli ultimi anni della sua vita sono rattristati dal difficile rapporto con la moglie e dal profondo dispiacere causatogli dalla morte prematura di Furio, il suo primo figlio. Questa esperienza segna in maniera forte la sua vita e la sua attività di scrittore. Nel 1899 escono le *Memorie,* in cui si trovano commoventi pagine sulla morte del figlio, e nel 1905 il saggio *L'idioma gentile*.

L'11 marzo 1908 Edmondo De Amicis muore in un albergo di Bordighera, una cittadina di mare della Liguria, dove lo scrittore era solito trascorrere i mesi più freddi dell'inverno.

De Amicis «re di cuori» in una caricatura di Casimiro Teja, direttore del «Pasquino».

Cuore

Cuore esce il 15 ottobre 1886 e si afferma con successo nel panorama della Letteratura per Ragazzi che, in Italia, nasce e si sviluppa proprio nell'Ottocento.

Il romanzo per ragazzi è, per definizione, un romanzo educativo, ma *Cuore* è soprattutto un romanzo sentimentale che ha per oggetto "l'educazione del cuore".

Edmondo De Amicis accompagnava ogni giorno i suoi due figli, Furio e Ugo, alla scuola municipale "Moncenisio" di Torino: dall'osservare ogni mattina quei ragazzi, le loro maestre, gli episodi semplici delle loro vite e tutto quanto era ispirato dai loro sentimenti nacque l'idea che lo spinse a ritrarre nelle pagine di un libro quel mondo infantile da cui era tanto affascinato.

Cuore è un diario di scuola o, con le parole dello stesso autore, è la *storia di un anno scolastico scritta da un alunno di terza classe di una scuola municipale d'Italia.* Questo alunno, Enrico, racconta, descrive e commenta nel suo diario quello che ogni giorno accade a scuola, nella sua classe, ai suoi compagni e, successivamente, rilegge e rivede quelle pagine con l'aiuto del padre senza, però, modificarne né il contenuto né lo spirito infantile. Di tanto in tanto nel diario intervengono il papà e la mamma di Enrico, aggiungendo osservazioni, consigli o rimproveri.

Alla narrazione quotidiana degli eventi scolastici si aggiungono i racconti che mensilmente il maestro detta ai ragazzi: 11 mesi, 11 racconti, che riferiscono episodi di coraggio, di generosità e di sacrificio i cui protagonisti sono dei ragazzi.

Dagli Appennini alle Ande è il racconto che il maestro fa nel mese di maggio. Marco, il giovane protagonista, parte per l'America alla ricerca della madre e nel suo lungo viaggio vive e sperimenta la condizione degli emigranti italiani che, provenienti da tutte le province d'Italia, sono costretti ad abbandonare le proprie terre per l'estrema povertà in cui vivono.

De Amicis conosce bene la loro situazione perché ha trascorso circa due mesi in Argentina: lì ha conosciuto i modelli viventi del piccolo emigrante del libro *Cuore*, e ha incontrato parecchi Marco, cioè Italiani nati in quelle terre che sono cresciuti forti e coraggiosi, abili e pronti a lavorare.

I personaggi del "piccolo" mondo di *Cuore* sono dunque la riproduzione del "grande" mondo e di tutte le sue componenti sociali. Un contemporaneo di De Amicis ha detto che *Cuore* è destinato a rendere migliori non solo i ragazzi ma anche i maestri.

edmondo de amicis

KORO

libro por knaboj

EDMUND AMICIS

PAMIĘTNIK CHŁOPCA

KSIĄŻKA DLA DZIECI.

Przełożyła z upoważnienia autora

Marya z Siemiradzkich Obrąpalska.

"Miéj serce i patrzaj w serce."

WARSZAWA

TEODOR PAPROCKI, S-ka

EDMUNDO DE AMICIS

«CORAZÓN»

DIARIO DE UN NIÑO

TRADUCIDO AL ESPAÑOL DE LA 44.ª EDICIÓN ITALIANA

POR

H. GINER DE LOS RÍOS

Y CON UN PRÓLOGO

DE

D. ISIDORO FERNÁNDEZ FLOREZ

Versión revisada por el autor, y exclusivamente autorizada
para España y América.

2.000

MADRID

LIBRERÍA DE D. FERNANDO FE

5, CARRERA DE SAN JERÓNIMO, 2

1887

Dagli Appennini alle Ande

Legenda:

Nell'adattamento del testo "Dagli Appennini alle Ande" si è cercato di rispettare lo stile e il linguaggio dell'autore e di rimanere fedeli, per quanto possibile, all'uso originale della punteggiatura.

Il trattino sotto alcune vocali vuole indicare la sillaba su cui cade l'accento tonico che in italiano, di solito, cade sulla penultima sillaba.

In questo testo, di livello avanzato, l'accento tonico non è stato segnato sotto le forme verbali, fatta eccezione per quelle accompagnate da pronomi e per l'infinito, né è stato ripetuto sotto le parole già usate una volta.

Dagli Appennini alle Ande [*]

Molti anni fa un ragazzo *genovese* di tredici anni, figlio di un operaio, andò da *Genova* in America, da solo, per cercare sua madre.

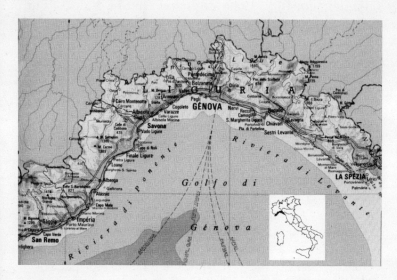

Sua madre era andata due anni prima a Buenos Aires, capitale della Repubblica Argentina, per lavorare come donna di servizio nella casa di qualche famiglia ricca, e guadagnare così in poco tempo il denaro necessario per migliorare la situazione della propria famiglia che, a causa di varie disgrazie, era diventata povera ed era oramai piena di debiti.

Appennini monti che si estendono dalla pianura Padana, nell'Italia settentrionale, fino alle ultime regioni dell'Italia meridionale
Ande monti dell'America del Sud
genovese di Genova
Genova capoluogo della regione Liguria

Non sono poche le donne che hanno tanto coraggio da fare un viaggio così lungo con quello stesso scopo, e che grazie ai *salari* molto alti che pagano laggiù alle donne di servizio, ritornano in patria dopo pochi anni con qualche migliaio di lire.

La povera madre aveva pianto lacrime amare nel separarsi dai suoi figli, l'uno di diciotto anni e l'altro di undici, ma era partita con coraggio, e piena di speranza.

Il viaggio era stato felice: appena arrivata a Buenos Aires, aveva trovato subito, per mezzo di un *bottegaio* genovese, cugino di suo marito, che viveva là da molto tempo, una buona famiglia *argentina*, che la pagava molto e la trattava bene.

E per un po' di tempo aveva mantenuto con i suoi familiari rimasti in Italia una *corrispondenza* regolare. Come era stato stabilito fra loro, il marito indirizzava le lettere al cugino, che le portava alla donna, e questa a sua volta consegnava le risposte a lui, che le spediva a Genova, aggiungendovi qualche *riga* di suo.

Guadagnando ottanta lire al mese e non spendendo nulla per sé, mandava a casa ogni tre mesi una bella somma di denaro, con la quale il marito, che era onesto, pagava di volta in volta i debiti più urgenti, e riguadagnava così la sua buona *reputazione*. E intanto lavorava ed era contento per come andavano le cose, anche perché sperava che la moglie sarebbe ritornata dopo non molto tempo; infatti la casa pareva vuota senza di lei, e specialmente il figlio minore, che amava moltissimo sua madre, era molto triste e non riusciva a rassegnarsi al saperla tanto lontana.

salario compenso in denaro per il lavoro svolto
bottegaio chi gestisce una bottega, un'attività commerciale
argentina dell' Argentina
corrispondenza qui, lo scambio di lettere tra persone che vivono lontane
riga qui, breve scritto in una lettera
reputazione opinione che si ha di qualcuno

14

Ma trascorso un anno dalla partenza, dopo una lettera breve nella quale lei diceva di star poco bene in salute, non ricevettero più lettere.

Scrissero due volte al cugino; ma il cugino non rispose. Scrissero alla famiglia argentina, dove la donna era a servizio; ma non ricevettero alcuna risposta: forse avevano scritto in modo poco chiaro il nome sull'indirizzo, e la lettera non era mai giunta a destinazione. Temendo una disgrazia, scrissero al *consolato* italiano di Buenos Aires, affinché venissero fatte delle ricerche; e dopo tre mesi il *console* rispose che, nonostante l'*avviso* fatto pubblicare sui giornali, nessuno si era presentato, neppure a dare notizie della donna. E non poteva essere diversamente, oltre che per altre ragioni, anche per la seguente: la buona donna non aveva dato alla famiglia argentina il suo vero nome, sperando di salvare la dignità della sua famiglia, perché le pareva di *macchiarla* nel fare la serva.

Altri mesi passarono, e continuarono a non ricevere nessuna notizia. Padre e figli erano disperati; soprattutto il figlio più piccolo, che era oppresso da una tristezza che non riusciva a vincere. Cosa fare ancora? A chi rivolgersi? La prima idea del padre fu quella di partire, di andare a cercare sua moglie in America. Ma avrebbe dovuto abbandonare il lavoro e lasciare da soli i suoi figli. In quel caso, chi li avrebbe mantenuti? E neppure poteva partire il figlio maggiore, che cominciava proprio allora a guadagnare un po' di denaro, denaro tanto necessario alla famiglia. E così, con questa preoccupazione, vivevano, ripetendo ogni giorno gli stessi discorsi dolorosi, o guardandosi l'un l'altro, in silenzio.

consolato sede ufficiale di uno Stato in un paese straniero
console rappresentante di uno Stato in un paese straniero
avviso qui, notizia, appello, comunicato
macchiare sporcare

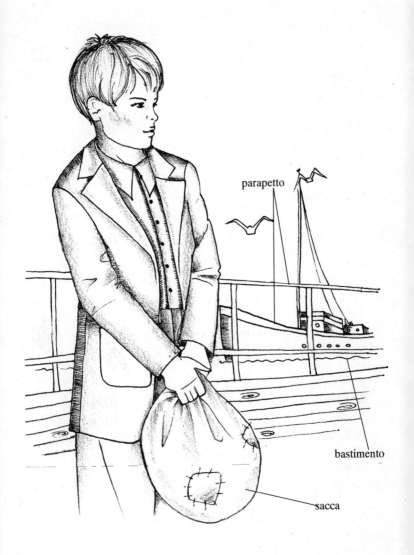

parapetto

bastimento

sacca

Finché una sera Marco, il più piccolo, disse al padre e al fratello in modo fermo e deciso: "Ci vado io in America a cercare mia madre."

Il padre abbassò il capo, con tristezza, e non rispose. Il suo era un pensiero affettuoso, ma assolutamente impossibile da realizzare. A tredici anni, da solo, fare un viaggio in America: soltanto per arrivarci ci voleva un mese di viaggio!

Ma il ragazzo insistette, con pazienza. Insistette quel giorno, il giorno dopo, tutti i giorni, con una grande calma, ragionando e mostrando il buon senso di un uomo maturo.

"Altri ci sono andati - diceva - e anche più piccoli di me. Una volta che sono sul *bastimento*, arrivo a Buenos Aires come qualsiasi altra persona. Arrivato là, non devo fare altro che cercare la bottega di questo cugino. In Argentina ci sono tanti italiani, qualcuno mi indicherà la strada. Una volta trovato il cugino avrò praticamente trovato mia madre; e, se non trovo lui, vado dal console, e cercherò la famiglia argentina. Qualunque cosa accada, laggiù c'è del lavoro per tutti; troverò del lavoro anch'io, almeno per guadagnare il denaro necessario a pagarmi il viaggio di ritorno per Genova." E così, a poco a poco, riuscì quasi a persuadere suo padre.

Suo padre lo stimava, sapeva che aveva giudizio e coraggio, che era abituato alle *privazioni* e ai sacrifici, e che tutte queste buone qualità sarebbero diventate ancora più forti nel suo cuore pur di raggiungere l'unico suo scopo, buono e santo, che era quello di trovare sua madre, che lui adorava.

Inoltre un comandante di *piroscafo*, amico di un suo *conoscente*, avendo sentito parlare di questo ragazzo che

---

bastimento vedi illustrazione a p. 16

privazione qui, l'atto di rinunciare a qualcosa di utile, di necessario o di piacevole

piroscafo vedi illustrazione a p. 18

conoscente persona che si conosce più o meno bene

piroscafo

prua

voleva andare da solo in Argentina alla ricerca della madre, si impegnò a fargli avere gratis un biglietto di terza classe sul bastimento in partenza per l'Argentina. E alla fine, dopo aver esitato ancora un po', il padre diede il suo consenso. Così il viaggio fu deciso.

Gli riempirono una *sacca* di *biancheria*, gli misero in tasca qualche *scudo*, gli diedero l'indirizzo del cugino, e una bella sera del mese d'aprile lo *imbarcarono*.

"Figlio, Marco mio, - gli disse il padre dandogli l'ultimo bacio, con le lacrime agli occhi, sulla scala del piroscafo che stava per partire - fatti coraggio. Poiché parti per un santo scopo, sono sicuro che Dio ti aiuterà."

Povero Marco! Lui era coraggioso e preparato anche alle più dure prove per quel viaggio; ma quando vide sparire all'orizzonte la sua bella Genova, e si trovò in alto mare, su quel grande piroscafo pieno di contadini *emigranti*, solo, senza conoscere nessuno, con quella piccola sacca che conteneva tutti i suoi beni, un improvviso *scoraggiamento* lo prese.

sacca vedi illustrazione a p. 16
biancheria insieme di panni, per tradizione bianchi o di colore chiaro, per uso personale o per la casa
scudo moneta d'oro o d'argento
imbarcare prendere a bordo di una nave, far salire su una nave
emigrante persona che va a cercare lavoro in un altro paese in quanto non ne trova nel suo
scoraggiamento l'atto di scoraggiarsi, cioè perdere la fiducia e la speranza, andare in crisi

18

Per due giorni stette *accucciato* come un cane, a *prua*, non mangiando quasi niente, oppresso da un grande bisogno di piangere. Ogni genere di tristi pensieri gli passavano per la mente, e il

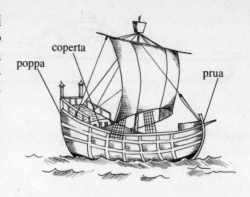

più triste, il più terribile che continuava a tornargli in mente era il pensiero che sua madre fosse morta.

Nei suoi sonni agitati e tormentati lui vedeva sempre la faccia di uno sconosciuto, che lo guardava con aria di *compassione* e poi gli diceva all'orecchio: "Tua madre è morta." E allora si svegliava soffocando un grido.

Nonostante ciò, passato lo *stretto di Gibilterra*, alla prima vista dell'Oceano Atlantico, riacquistò un poco di coraggio e di speranza. Ma il *sollievo* fu breve. Quell'immenso mare sempre uguale, il caldo che aumentava, la tristezza che gli dava tutta quella povera gente che lo circondava, insieme con il sentimento della propria solitudine, tornarono a *scoraggiarlo*.

I giorni, che si succedevano vuoti e sempre uguali, gli si confondevano nella memoria, come accade ai malati. Gli pareva di essere in mare da un anno. E ogni mattina, svegliandosi, provava di nuovo lo stupore di essere là solo, in mezzo a quel mare immenso, in viaggio per l'America.

accucciarsi qui, stare seduto a terra con le gambe raccolte vicino al petto
compassione qui, sentimento di pietà e/o disprezzo per qualcosa o qualcuno
stretto di Gibilterra tratto di mare tra la Spagna e l'Africa
sollievo il diminuire di una preoccupazione o di un dolore fisico o morale
scoraggiare far perdere la fiducia e la speranza

I bei pesci volanti che venivano ogni tanto a cascare sul bastimento, quei meravigliosi *tramonti* dei *tropici*, con quelle enormi nuvole colore di fuoco e di sangue, e quelle *fosforescenze* della notte che fanno parere l'oceano tutto acceso come un mare di *lava*, non gli sembravano cose reali, ma *prodigi* veduti in sogno.

Ci furono delle giornate di cattivo tempo, durante le quali restò chiuso continuamente nel *dormitorio*, dove tutto ballava e cadeva, in mezzo a un *coro* di *lamenti* e di *imprecazioni* che faceva paura a sentirlo; e credette che fosse giunta la sua ultima ora.

Ebbe altre giornate di mare calmo e *giallastro*, di caldo *insopportabile*, di noia infinita; ore *interminabili* e *funeste*, durante le quali i *passeggeri spossati*, distesi immobili sulle tavole, parevano tutti morti. E il viaggio non finiva mai: mare e cielo, cielo e mare, oggi come ieri, domani come oggi, ancora, sempre, in eterno. E lui per lunghe ore stava appoggiato al *parapetto* a guardare quel mare senza fine, stupito, pensando in modo vago a sua madre, fino a quando gli occhi gli si chiudevano e il capo gli cascava dal sonno; e allora rivedeva quella fac-

---

tramonto l'ora del giorno in cui cala il sole
tropici Tropico del Cancro e Tropico del Capricorno
fosforescenza brillìo, scintillìo, luccichìo, chiarore
lava materiale liquido e solido di colore nero che viene fuori da un vulcano in eruzione
prodigio evento straordinario
dormitorio luogo in cui si dorme
coro qui, gruppo di persone che parlano o gridano qualcosa tutte insieme
lamento voce o grido che esprime dolore o pianto
imprecazione dire qualcosa di male a qualcuno, maledizione
giallastro di colore simile al giallo, giallo spento
insopportabile che non si può sopportare
interminabile che non finisce, che non termina mai
funesto doloroso, tragico, mortale, luttuoso
passeggero chi utilizza mezzi di trasporto, sia pubblici che privati, per viaggiare
spossato molto stanco
parapetto vedi illustrazione a p. 16

cia sconosciuta che lo guardava con aria di pietà, e gli ripeteva all'orecchio: "Tua madre è morta!" e a quella voce si svegliava di scatto, per ricominciare a sognare a occhi aperti e a guardare l'orizzonte sempre uguale.

Ventisette giorni durò il viaggio! Ma gli ultimi giorni furono i migliori. Il tempo era bello e l'aria fresca. Lui aveva fatto conoscenza con un buon vecchio *lombardo*, che andava in America a trovare il figlio, che face-

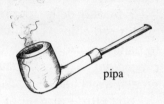

pipa

va il contadino vicino alla città di *Rosario*; gli aveva raccontato tutta la sua storia, e il vecchio gli ripeteva ogni tanto, battendogli una mano sulla testa: "Coraggio, ragazzo, tu troverai tua madre sana e contenta."

Quella compagnia lo consolava, i suoi pensieri da tristi erano diventati lieti. Seduto a prua, accanto al vecchio contadino che fumava la *pipa*, sotto un bel cielo pieno di stelle, in mezzo a gruppi di emigranti che cantavano, lui immaginava cento volte con il pensiero il suo arrivo a Buenos Aires; già si vedeva in quella particolare strada, trovava la bottega, correva incontro al cugino: "Come sta mia madre? Dov'è? Andiamo subito, andiamo subito!" Correvano insieme, salivano una scala, si apriva una porta... E qui il suo *soliloquio* muto si arrestava, la sua *immaginazione* si perdeva in un sentimento di tenerezza difficile da esprimere, che gli faceva tirare fuori *di nascosto* una piccola medaglia che portava al collo, e *mormorare*, baciandola, le sue preghiere.

lombardo della Lombardia, regione dell'Italia settentrionale
Rosario vedi cartina a p. 22
soliloquio discorso che si fa a se stessi, da soli
immaginazione l'atto dell'immaginare
di nascosto senza farsi vedere
mormorare parlare a bassa voce

Il ventisettesimo giorno dopo quello della partenza, arrivarono. Era una bella *aurora* rossa di maggio quando il piroscafo gettò l'*ancora* nell'immenso fiume della *Plata*, sulla cui riva si stende la vasta città di Buenos Aires, capitale della Repubblica Argentina. Quel tempo splendido gli parve di buon augurio.

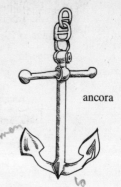

ancora

Era fuori di sé dalla gioia e dall'*impazienza*. Sua madre era a poche *miglia* di distanza da lui! Tra poche ore l'avrebbe veduta! E lui si trovava in America, nel nuovo mondo, e aveva avuto il coraggio di venirci solo! Tutto quel lunghissimo viaggio gli pareva allora che fosse passato in un attimo. Gli pareva di avere volato, sognando, e di essersi svegliato solo in quel momento.

Ed era così felice, che quasi non si stupì né si dispiacque, quando mise le mani in tasca, e non ci trovò più uno dei due *gruzzoli* in cui aveva diviso il suo piccolo tesoro, per essere più sicuro di non perdere tutto. Gliel'avevano rubato, non gli restavano più che poche lire; ma che gli importava, ora che era vicino a sua madre?

Con la sua sacca in mano, scese insieme a molti altri italiani in un *vaporino* che li portò fino a poca distanza dalla riva, scese poi dal vaporino in una barca che portava il nome di *Andrea Doria*, fu sbarcato sul *molo*, salutò il suo vecchio amico lombardo, e si avviò a lunghi passi verso la città.

aurora l'ora del giorno in cui il sole sorge
Plata vedi cartina a p. 22
impazienza il non avere pazienza, il non saper aspettare
miglio unità di misura corrispondente a 1609,3 m
gruzzolo piccola somma di denaro
vaporino vedi illustrazione a p. 24
Andrea Doria comandante genovese (1466-1560)
molo zona del porto che serve a difendere il porto dalle onde del mare

vaporino o vaporetto

Arrivato all'inizio della prima via fermò un uomo che passava e lo pregò di indicargli da che parte dovesse andare per raggiungere via *de los Artes*. Neanche a farlo apposta aveva fermato un operaio italiano. Questi lo guardò con curiosità e gli domandò se sapeva leggere. Il ragazzo accennò di sì. "Ebbene, - gli disse l'operaio, indicandogli la via da cui lui usciva - va' su sempre diritto, leggendo i nomi delle vie a tutte gli angoli; finirai per trovare la via che cerchi." Il ragazzo lo ringraziò e prese la via che gli si apriva davanti.

Era una via diritta e *sterminata*, ma *stretta*; *fiancheggiata* da case basse e bianche, che parevano tanti *villini*; piena di gente, di carrozze, di grandi carri, che facevano un rumore *assordante*; e qua e là erano appese enormi bandiere di vari colori, con su scritto a grossi caratteri l'*annuncio* di partenze di piroscafi per città sconosciute.

A ogni *incrocio*, voltandosi a destra e a sinistra, lui

de los Artes (voce spagnola) delle Arti
sterminato che non ha termine, non ha fine; qui, molto lungo
stretto non largo
fiancheggiato qui, che ha qualcosa lungo i suoi lati o fianchi
villino tipo di casa a uno o due piani con giardino; piccola villa
assordante che fa un rumore tanto forte da rendere sorde le persone
annuncio notizia, informazione, avviso
incrocio qui, punto in cui si incontrano due o più strade

vedeva altre due vie che fuggivano diritte *a perdita d'occhio*, fiancheggiate pure da case basse e bianche, e piene di gente e di carri, e tagliate in fondo dalla linea diritta di quella pianura americana senza confini, simile all'orizzonte del mare. La città gli pareva infinita; gli pareva che si potesse camminare per giornate e per settimane vedendo sempre di qua e di là altre vie come quelle, e che tutta l'America ne dovesse essere coperta. Guardava con attenzione i nomi delle vie: dei nomi strani che leggeva con difficoltà. A ogni nuova via, si sentiva battere il cuore, pensando che fosse la sua.

Guardava tutte le donne con la speranza di incontrare sua madre. Ne vide una davanti a sé, che assomigliava a sua madre: la raggiunse, la guardò: era una *negra*.

E andava, andava, camminando sempre più veloce.

Arrivò a un incrocio, lesse, e restò come *inchiodato* sul marciapiede. Era la via delle Arti. Girò, vide il numero 117: la bottega del cugino era al numero 175. Cominciò a camminare ancora più veloce, correva quasi; al numero 171 dovette fermarsi per riprendere respiro. E disse tra sé: "O madre mia! madre mia! E' proprio vero che ti vedrò fra poco!"

Corse innanzi, arrivò a una piccola bottega di *merciaio*. Era quella. *Si affacciò*. Vide una donna con i capelli grigi e gli occhiali.

"Che volete, ragazzo?" gli domandò quella, in spagnolo.

"Non è questa" disse il ragazzo, facendo fatica a mettere fuori la voce, "la bottega di Francesco Merelli?"

"Francesco Merelli è morto" rispose la donna in italiano.

---

a perdita d'occhio (modo di dire) fin dove la vista può arrivare
negro chi appartiene alla razza caratterizzata da pelle scura o nera
inchiodato qui, fermo, immobile come un chiodo nel muro
merciaio chi vende mercerie, cioè bottoni, aghi, cotone per cucire, ecc.
affacciarsi avvicinarsi ad una finestra o ad una porta per guardare fuori o dentro

Il ragazzo ebbe l'impressione di un colpo al petto.

"Quando è morto?"

"Eh, da un pezzo" rispose la donna "da mesi. Fece cattivi affari, scappò. Dicono che sia andato a *Bahia Blanca*, molto lontano di qui. E morì appena arrivato. La bottega è mia."

Il ragazzo si fece pallido.

Poi disse rapidamente: "Merelli conosceva mia madre, mia madre era qua a servire dal signor Mequinez. Lui solo poteva dirmi dov'era. Io sono venuto in America a cercare mia madre. Merelli le mandava le lettere. Io ho bisogno di trovare mia madre."

"Povero ragazzo - rispose la donna, - io non so. Posso domandare al ragazzo del cortile. Lui conosceva il giovane che faceva commissioni per Merelli. E' possibile che sappia dirti qualche cosa."

Andò in fondo alla bottega e chiamò il ragazzo, che venne subito.

"Dimmi un poco" gli domandò la bottegaia "ti ricordi se il giovane di Merelli andava qualche volta a portare delle lettere a una donna di servizio, in casa di *figli del paese*?"

"Dal signor Mequinez" rispose il ragazzo, "sì, signora, qualche volta. In fondo a via delle Arti."

"Ah! signora, grazie!" gridò Marco. "Mi dica il numero... non lo sa? Mi faccia accompagnare, accompagnami tu subito, ragazzo; io ho ancora dei soldi."

E disse questo con tanto calore che, senza aspettare la preghiera della donna, il ragazzo rispose: "Andiamo" e uscì per primo a passi rapidi.

Quasi correndo, senza dire una parola, andarono fino in fondo alla via lunghissima, infilarono l'*andito* d'en-

Bahia Blanca vedi cartina a p. 22
figlio del paese chi è nato in quel Paese; qui, argentino
andito qui, corridoio di ingresso

trata di una piccola casa bianca, e si fermarono davanti a un bel cancello di ferro, da cui si vedeva un piccolo cortile, pieno di vasi di fiori. Marco suonò con forza il *campanello*.

Comparve una signorina.

"Qui sta la famiglia Mequinez, non è vero?", domandò con ansia il ragazzo.

"Ci stava" rispose la signorina, pronunciando l'italiano alla spagnola. "Ora ci stiamo noi, Zeballos."

"E dove sono andati i Mequinez?" domandò Marco, con il *batticuore*.

"Sono andati a *Cordova*."

"Cordova!" esclamò Marco. "Dov'è Cordova? E la persona di servizio che avevano? La donna, mia madre! La donna di servizio era mia madre! Hanno condotto via anche mia madre?"

La signorina lo guardò e disse: "Non so. Lo saprà forse mio padre, che li ha conosciuti quando partirono. Aspettate un momento."

Scappò, e tornò poco dopo con suo padre, un signore alto, con la barba grigia. Questi guardò fisso un momento quel tipo simpatico di piccolo *marinaio* genovese, con i capelli biondi e il naso *aquilino*, e gli domandò in cattivo italiano: "Tua madre è genovese?"

Marco rispose di sì.

"Ebbene, la donna di servizio genovese è andata con loro, lo so di certo."

"E dove sono andati?"

"A Cordova, una città."

---

campanello qui, oggetto che si suona prima di entrare in casa di qualcuno
batticuore il battere forte del cuore, quando si è preoccupati o si ha paura
Cordova vedi cartina a p. 22
marinaio chi lavora su una nave
aquilino tipo di naso che assomiglia al becco di un'*aquila* (l'aquila è un uccello rapace)

sighed   resigned

Il ragazzo fece un *sospiro*; poi, rassegnato, disse: "Allora... andrò a Cordova."

"Ah *pobre Niño*!" esclamò il signore, guardandolo con aria di pietà. "Povero ragazzo! E' a centinaia di miglia di qua, Cordova."

Marco diventò pallido come un morto, e si appoggiò con una mano al cancello.

"Vediamo, vediamo, - disse allora il signore, mosso a compassione, aprendo la porta, - vieni dentro un momento, vediamo un po' se si può fare qualche cosa per aiutarti."

Si sedette, lo fece sedere, gli fece raccontare la sua storia, lo stette ad ascoltare con molta attenzione, rimase un po' a pensare; poi gli disse con decisione: "Tu non hai soldi, non è vero?"

"Ho ancora... poco" rispose Marco.

Il signore pensò altri cinque minuti, poi si sedette a un tavolino, scrisse una lettera, la chiuse, la diede al ragazzo e gli disse: "Senti, *italianito*. Va' con questa lettera alla Boca. È una piccola città mezza genovese, a due ore di strada di qua. Tutti ti sapranno indicare il cammino. Va' là e cerca questo signore, che è conosciuto da tutti e a cui è diretta la lettera. Portagli questa lettera. Lui ti farà partire domani per la città di Rosario, e ti raccomanderà a qualcuno lassù, che penserà a farti proseguire il viaggio fino a Cordova, dove troverai la famiglia Mequinez e tua madre. Intanto, prendi questo." E gli mise in mano qualche lira. "Va', e fatti coraggio; qui hai dappertutto dei *compaesani*, non rimarrai abbandonato. *Adios*."

sospiro respiro lungo e profondo che è accompagnato da un leggero rumore
pobre niño (voce spagnola) povero ragazzo
italianito (voce spagnola) piccolo italiano
compaesano chi è dello stesso paese
adios (voce spagnola) addio

28

Il ragazzo disse: "Grazie", senza trovare altre parole; quindi uscì con la sua sacca e, salutata la sua piccola guida, si mise lentamente in cammino verso la Boca, pieno di tristezza e di stupore, attraverso la grande città *rumorosa*.

Tutto quello che gli accadde da quel momento fino alla sera del giorno dopo gli rimase poi nella memoria confuso ed incerto come la *fantasticheria* di una persona che ha la febbre alta, tanto lui era stanco, turbato, senza speranza. E il giorno dopo, all'*imbrunire*, dopo aver passato la notte in una piccola e povera stanza di una casa della Boca, accanto a un *facchino* del porto, dopo aver trascorso quasi tutta la giornata seduto sopra un *mucchio* di *travi*, e come *trasognato*, di fronte a migliaia di bastimenti, di grandi barche e di vaporini, si trovava a *poppa* di una grossa barca a vela, carica di frutta, che partiva per la città di Rosario, condotta da tre robusti genovesi *abbronzati* dal sole, la cui voce, e il *dialetto* amato che parlavano, gli rimise un po' di gioia nel cuore.

Partirono, e il viaggio durò tre giorni e quattro notti, e fu uno stupore continuo per il piccolo viaggiatore. Tre giorni e quattro notti su per quel meraviglioso fiume *Paranà*, ri-

---

rumoroso che fa molto rumore; qui, pieno di rumore
fantasticheria sogno; cosa o idea fantastica
imbrunire l'ora del giorno che segue immediatamente il tramonto
facchino chi, per mestiere, trasporta bagagli o altro nelle stazioni, nei porti, aeroporti, ecc.
mucchio insieme di cose messe una sull'altra in modo disordinato
trave lungo pezzo di legno, di solito usato nella costruzione di case
trasognato distratto, sognante, stupito
poppa vedi illustrazione a p. 19
abbronzato con la pelle scura a causa del sole
dialetto linguaggio proprio di una regione o di una città, diverso dalla lingua nazionale
Paranà vedi cartina a p. 22

spetto al quale il nostro grande *Po* non è che un *rig̲agnolo*, e l'Italia, *quadruplicata*, non è lunga quanto il suo corso.

serpenti

Il *barcone* andava lentamente *a ritroso* di quella massa d'acqua senza misura. Passava in mezzo a lunghe i̲sole, un tempo popolate da *serpenti* e da *tigri*, coperte di *aranci* e di *s̲alici*, simili a boschi *galleggianti*; e ora infilava stretti canali, da cui pareva che non potesse più uscire; ora entrava in vaste *distese d'acqua*, dall'aspetto di grandi laghi tranquilli; poi di nuovo fra le isole, per i canali *intricati* di un *arcipelago*, in mezzo a mucchi enormi di *vegetazione*.

tigri

salice

C'era un silenzio profondo. Per lunghi tratti, le rive e le acque solitarie e vastissime davano l'immag̲ine di un fiume sconosciuto,

---

Po il fiume più lungo d'Italia (652 km) che scorre al Nord, nella pianura Padana
rigagnolo piccolo fiume
quadruplicato quattro volte più grande, moltiplicato per quattro
barcone grande barca
a ritroso in senso contrario, opposto
arancio l'albero delle arance
galleggiare stare sulla superficie dell'acqua, senza andare a fondo
distesa d'acqua spazio molto ampio coperto d'acqua
intricato qui, legato l'uno all'altro in modo disordinato, complesso, confuso
arcipelago gruppo di isole
vegetazione l'insieme di alberi, piante e fiori

in cui quella povera *barca a vela* fosse la prima al mondo ad entrare. Quanto più avanzavano, tanto più quel *mostruoso* fiume gli procurava angoscia.

barca a vela

Lui immaginava che sua madre si trovasse alle *sorgenti*, e che il viaggio dovesse durare degli anni. Due volte al giorno mangiava un po' di pane e di carne *salata* in compagnia dei *barcaioli,* i quali, vedendolo triste, non gli rivolgevano mai la parola. La notte dormiva, sopra *coperta*, e si svegliava ogni tanto, di scatto, stupito della luce limpidissima della luna che rendeva bianche le acque immense e le rive lontane; e allora il cuore gli si *serrava*. "Cordova!", lui ripeteva quel nome: "Cordova!" come il nome di una di quelle città *misteriose*, delle quali aveva sentito parlare nelle *favole*. Ma poi pensava: "Mia madre è passata di qui, ha visto queste isole, quelle rive", e allora non gli parevano più tanto strani e solitari quei luoghi su cui lo sguardo di sua madre si era posato...

La notte, uno dei barcaioli cantava. Quella voce gli ricordava le canzoni di sua madre, quando lo addormentava, da bambino. L'ultima notte, all'udire quel canto, pianse. Il bar-

mostruoso che fa paura, che spaventa
sorgente punto in cui nasce un fiume
salato che contiene molto sale
barcaiolo persona che conduce una barca
coperta vedi illustrazione a p. 19
serrare stringere con forza, chiudere
misterioso non conosciuto, pieno di mistero
favola racconto di fantasia, non reale, generalmente per bambini

caiolo s'interruppe. Poi gli gridò: "Animo, animo, *figliolo*! Che diavolo! Un genovese che piange perché è lontano da casa! I genovesi girano il mondo gloriosi e *trionfanti*!" E a quelle parole lui si riprese, sentì la voce del sangue genovese, e rialzò la fronte con orgoglio, battendo il *pugno* sul *timone*. "Ebbene, sì", disse fra sé, "dovessi anch'io girare tutto il mondo, viaggiare ancora per anni e anni, e fare delle centinaia di miglia a piedi, io andrò avanti, fino a che non troverò mia madre. Anche se dovessi arrivare *moribondo*, e cascare morto ai suoi piedi!

pugno

Purché io la riveda una volta! Coraggio!"

E con questo stato d'animo arrivò allo spuntare di un mattino *rosato* e freddo di fronte alla città di Rosario, posta sulla riva alta del Paranà, nelle cui acque, come in uno specchio, si vedevano le *antenne* con le bandiere di cento bastimenti di ogni paese.

Poco dopo sbarcato, salì verso la città, con la sua sacca in mano, a cercare un signore argentino per il quale il suo *protettore* della Boca gli aveva dato un *biglietto da visita* con cui glielo raccomandava.

timone

figliolo qui, ragazzo
trionfante chi è pieno di gioia, coraggio, entusiasmo; chi trionfa, vince
moribondo chi sta per morire
rosato di colore rosa
antenna qui, albero della nave
protettore qui, chi protegge, aiuta e difende qualcuno
biglietto da visita piccolo foglio di carta che contiene il nome e il cognome, la professione e l'indirizzo di qualcuno

Entrando in Rosario gli parve di entrare in una città conosciuta.

ragnatela

Le stesse vie interminabili, diritte, fiancheggiate da case basse e bianche, attraversate in tutte le direzioni, al di sopra dei tetti, da grandi fasci di fili *telegrafici* e del telefono, che parevano enormi *ragnatele*; e un grande movimento di gente, di cavalli, di carri. La testa gli si confondeva: credette quasi di essere di nuovo a Buenos Aires, e di dover cercare un'altra volta il cugino.

Camminò quasi un'ora, girando e rigirando, e gli sembrava di tornare sempre nella medesima via; e a forza di domandare, trovò la casa del suo nuovo protettore. Suonò il campanello. Si affacciò alla porta un grosso uomo biondo, dall'espressione dura, che aveva l'aria di un *fattore*, e che gli domandò in modo poco gentile, con pronuncia straniera:

"Chi cerchi?"

Il ragazzo disse il nome del padrone.

"Il padrone", rispose il fattore, "è partito ieri sera per Buenos Aires con tutta la sua famiglia."

Il ragazzo restò senza parola.

Poi *balbettò*: "Ma io... non ho nessuno qui! Sono solo!" E gli diede il biglietto.

Il fattore lo prese, lo lesse e disse in modo poco gentile: "Non so che farci. Glielo darò fra un mese, quando ritornerà."

telegrafico del telegrafo
fattore qui, chi organizza il lavoro in una azienda agricola per conto del proprietario
balbettare parlare ripetendo più volte le sillabe di una parola; pronunciare in modo poco chiaro

"Ma io, io sono solo! io ho bisogno!" esclamò il ragazzo, con voce di preghiera.

"Eh! andiamo", disse l'altro; "forse a Rosario non c'è ancora abbastanza *gramigna* del tuo Paese perché ti ci aggiunga anche tu? Vattene un po' a *mendicare* in Italia." E gli chiuse il cancello sulla faccia.

Il ragazzo restò là stupito ed immobile come di pietra.

Poi riprese lentamente la sua sacca, ed uscì, con il cuore pieno di angoscia, con la mente sconvolta, assalito a un tratto da mille pensieri che lo preoccupavano. Che fare? dove andare? Rosario distava da Cordova una giornata in treno. Lui non aveva più che poche lire. Tolto il denaro che gli occorreva per quel giorno, non gli sarebbe rimasto quasi nulla. Dove trovare i soldi per pagarsi il viaggio? Poteva lavorare! Ma come, a chi domandare lavoro? Chiedere l'*elemosina!* Ah! no, essere respinto, offeso, umiliato come prima, no, mai, mai più, piuttosto morire! E a quell'idea, e al rivedere davanti a sé la lunghissima via che si perdeva lontano nella pianura immensa, si accorse di perdere un'altra volta il coraggio; gettò la sacca sul marciapiede, vi si sedette sopra con le spalle al muro, e chinò il viso tra le mani, senza piangere, in un atteggiamento disperato.

La gente lo *urtava* con i piedi passando; i carri riempivano la via di rumore; alcuni ragazzi si fermarono a guardarlo. Lui rimase così per parecchio tempo.

Finché fu *scosso* da una voce che gli disse, tra l'italia-

gramigna erba che cresce rapidamente, con facilità, ed è difficile da distruggere; causa danno, per esempio, al grano. Qui si riferisce al grande numero degli Italiani in Argentina

mendicare chiedere qualcosa da mangiare o dei soldi alla gente che passa per la strada

elemosina denaro o altro che si dà ai poveri

urtare toccare, colpire qualcuno

scuotere qui, richiamare l'attenzione, svegliare

no e il lombardo: "Che cosa hai, ragazzetto?" Alzò il viso a quelle parole, e subito balzò in piedi ed esclamò pieno di meraviglia: "*Voi* qui!"

Era il vecchio contadino lombardo, con il quale aveva fatto amicizia durante il viaggio.

La meraviglia del contadino non fu minore della sua. Ma il ragazzo non gli lasciò il tempo di fargli domande, e gli raccontò rapidamente le sue brutte avventure. "Ora sono senza soldi, ecco; bisogna che lavori; trovatemi voi del lavoro in modo che io possa mettere insieme qualche lira; io posso fare qualunque cosa; portare roba, *spazzare* le strade, fare commissioni, anche lavorare in campagna; mi accontento di vivere di pane nero; *purché* possa partire presto, e trovare finalmente mia madre, fatemi questa carità, del lavoro, trovatemi voi del lavoro, per amor di Dio, perché non ne posso più!"

"*Diamine*, diamine" disse il contadino, guardandosi attorno e toccandosi il mento. "Che storia è questa!... Lavorare... è presto detto. Vediamo un po'. Possibile che non si riescano a trovare trenta lire fra tanti *patrioti*?"

Il ragazzo lo guardava, consolato da quel raggio di speranza.

"Vieni con me", gli disse il contadino.

"Dove?" domandò il ragazzo mentre raccoglieva la sua sacca.

"Vieni con me."

Il contadino si mosse e Marco lo seguì; fecero un lungo tratto di strada insieme, senza parlare. Ad un certo punto il contadino si fermò alla porta di un'osteria che

---

voi è un'antica forma di cortesia usata invece del Lei; nel Sud dell'Italia ancora oggi il suo uso è abbastanza comune

spazzare pulire pavimenti, strade, o simili, con la scopa

purché a patto che, a condizione che

diamine espressione usata per dire che non si approva qualcosa o che questa causa meraviglia

patriota chi ama la patria, il proprio Paese; qui, con il significato di compatriota, cioè della stessa patria

aveva per *insegna* una stella con sotto una scritta "La *estrella* de Italia". Si affacciò per guardare all'interno e, girandosi verso il ragazzo, disse tutto allegro: "Arriviamo al momento giusto." Entrarono in uno stanzone, dove c'erano varie tavole, e molti uomini seduti, che bevevano, parlando ad alta voce. Il vecchio lombardo si avvicinò alla prima tavola, e dal _modo_ in cui salutò i sei clienti che ci stavano intorno, si capiva che era stato

insegna

in loro compagnia fino a poco prima. Erano rossi in viso e facevano suonare i bicchieri, parlando e ridendo.

"*Camerati*", disse subito il lombardo, restando in piedi, e presentando Marco; "c'è qui un povero ragazzo nostro patriota, che è venuto da solo da Genova a Buenos Aires per cercare sua madre. A Buenos Aires gli dissero: "Qui non c'è; è a Cordova". Viene in barca a Rosario, tre giorni e tre notti, con due righe di raccomandazione; presenta la carta: gli rispondono in modo scortese. *Non ha l'ombra di un centesimo*. E' qui solo e disperato. E' un ragazzo coraggioso. Vediamo un poco. Possibile che non riesca a trovare il denaro necessario per pagare il biglietto per andare a Cordova a cercare sua madre? Dobbiamo lasciarlo qui come un cane?"

---

estrella (voce spagnola) stella
camerata amico, compagno
non avere l'ombra di un centesimo non avere neppure un soldo

"Mai al mondo, *perdio!* Non sarà mai detto, questo!" gridarono tutti insieme, battendo il pugno sul tavolo. "Un patriota nostro! Vieni qua, piccolino."

"Ci siamo noi, gli emigranti!"

"Guarda che bel *monello*."

"Fuori i soldi, camerati."

"Bravo! Venuto da solo! *Hai del fegato!*"

"Bevi un po' di vino, patriota."

"Ti manderemo da tua madre, non preoccuparti."

E uno gli dava un colpo affettuoso sulla guancia, un altro gli batteva la mano sulla spalla, un terzo lo liberava dalla sacca; altri emigranti si alzarono dalle tavole vicine e si avvicinarono; la storia del ragazzo fece il giro dell'osteria; accorsero dalla stanza accanto tre clienti argentini; e in meno di dieci minuti il contadino lombardo, che aveva in mano un cappello per raccogliere il denaro, ci trovò dentro quarantadue lire.

"Hai visto", disse allora, voltandosi verso il ragazzo, "come si fa presto in America?"

"Bevi!" gli gridò un altro, offrendogli un bicchiere di vino: "Alla salute di tua madre!"

Tutti alzarono i bicchieri. E Marco ripeté: "Alla salute di mia..." Ma l'emozione e la gioia gli chiusero la gola, e appoggiato il bicchiere sulla tavola, abbracciò con affetto il vecchio lombardo.

La mattina seguente, allo spuntare del giorno, lui era già partito per Cordova, pieno di coraggio e allegro, con in mente solo pensieri felici. Ma non c'è gioia che regga a lungo davanti a certi aspetti sinistri della natura.

Il tempo era nuvoloso e grigio; il treno, quasi vuoto, correva attraverso un'immensa pianura priva di case e di

perdio modo di dire che esprime rabbia, meraviglia, disapprovazione, ecc.
monello qui, ragazzo vivace e simpatico
avere del fegato avere coraggio

ogni segno di vita. Lui era solo in un vagone lunghissimo, che somigliava a quelli dei treni per i *feriti*. Guardava a destra, guardava a sinistra, e non vedeva che una solitudine senza fine, e solo ogni tanto alberi con i tronchi piccoli e brutti ed i rami *contorti*, in atteggiamenti mai visti, quasi di rabbia e di angoscia; una vegetazione scura, scarsa e triste, che dava alla pianura l'aspetto di un *cimitero* senza fine.

Dormiva una mezz'oretta, poi tornava a guardare: fuori dal finestrino c'era sempre lo stesso spettacolo.

Le stazioni della ferrovia erano solitarie, come case di *eremiti*, e quando il treno si fermava, non si sentiva neppure una voce; gli pareva di trovarsi solo in un treno perduto e abbandonato in mezzo a un deserto. Gli sembrava che ogni stazione dovesse essere l'ultima, e che dopo quella si entrasse nelle terre misteriose e pericolose dei *selvaggi*.

Un leggero vento freddissimo gli mordeva il viso.

Imbarcandolo a Genova sul finire di aprile, i suoi non avevano pensato che in America Latina lui avrebbe trovato l'inverno, e così gli avevano dato dei vestiti per l'estate. Dopo alcune ore, incominciò a soffrire il freddo, e con il freddo si fece sentire anche la stanchezza dei giorni passati, pieni di emozioni violente, e delle notti *insonni* e tormentate.

Si addormentò, dormì a lungo, si svegliò *intirizzito*; si sentiva male. E allora gli prese un vago terrore di cadere malato e di morire durante il viaggio, e di essere abbandonato là in mezzo a quella pianura deserta, dove il

---

ferito (da ferire) chi ha una ferita, chi è stato ferito
contorto non diritto
cimitero luogo in cui si seppelliscono i morti
eremita chi sceglie di vivere lontano dal mondo, in luoghi solitari e deserti
selvaggio qui, persona che vive lontano dalla società civile
insonne qui, senza dormire
intirizzito rigido, che non si muove a causa del freddo

suo cadavere sarebbe stato mangiato dai cani e dagli *uccelli rapaci*, come certi corpi di cavalli e di *vacche* che vedeva ogni tanto lungo la strada, e da cui allontanava lo sguardo con orrore.

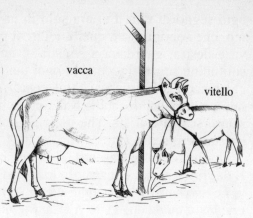

vacca

vitello

Agitato a causa di quel senso di *malessere*, in mezzo a quel silenzio *tetro* della natura, la sua immaginazione si eccitava e gli faceva prevedere solo avvenimenti tristi e negativi. Era poi veramente sicuro di trovarla, a Cordova, sua madre? E se non fosse stata neppure là? Se quel signore di via delle Arti avesse sbagliato? E se fosse morta? Con questi tristi pensieri si addormentò di nuovo: sognò d'essere a Cordova di notte, e di sentirsi gridare da tutte le porte e da tutte le finestre: "Non c'è! Non c'è! Non c'è!"; si svegliò di colpo, pieno di paura, e vide in fondo al vagone tre uomini con la barba, avvolti in *scialli* di vari colori, che lo guardavano, parlando a bassa voce tra di loro; e gli venne il sospetto che fossero assassini e volessero ucciderlo, per rubargli la sacca.

Al freddo e al malessere si aggiunse la paura; non controllava più la sua immaginazione.

I tre uomini continuavano a fissarlo sempre, uno di loro si mosse verso di lui; allora lui perse la ragione, e

uccello rapace tipo di uccello che ha vista molto acuta, becco ricurvo e unghie ad artiglio (per es. l'aquila, il condor, ecc.)
malessere sensazione di non stare bene
tetro lugubre, orrido, pauroso
scialle vedi illustrazione a p. 40

scialle

correndogli incontro con le braccia aperte, gridò: "Non ho nulla. Sono un povero ragazzo. Vengo dall'Italia, vado a cercare mia madre, sono solo; non fatemi del male!"

Quelli capirono subito, ne ebbero pietà, lo *accarezzarono* e lo calmarono, dicendogli molte parole che lui non comprendeva; e vedendo che batteva i denti per il fred-

accarezzare sfiorare con la mano qualcuno in segno di affetto

do, gli misero addosso uno dei loro scialli, e lo fecero sedere di nuovo perché dormisse. Oramai faceva buio e lui si addormentò di nuovo.

Quando lo svegliarono, era a Cordova.

Ah! che buon respiro tirò, e con che furia si lanciò fuori del vagone! Domandò a un impiegato della stazione dove fosse la casa dell'ingegner Mequinez: quello disse il nome di una chiesa: la casa era accanto alla chiesa; il ragazzo scappò via.

Era notte. Entrò in città. E gli parve di entrare nella città di Rosario un'altra volta, al vedere quelle strade diritte, fiancheggiate da piccole case bianche, e tagliate da altre strade diritte e lunghissime. Ma c'era poca gente, e alla luce dei rari *lampioni* incontrava delle facce strane, di un colore sconosciuto, tra *nerastro* e *verdognolo*, e alzando il viso di tanto in tanto, vedeva delle chiese dallo stile *bizzarro* che si disegnavano enormi e nere sul *firmamento*.

La città era oscura e silenziosa; ma dopo aver attraversato quell'immenso deserto, gli pareva allegra. Chiese ad un prete, trovò subito la chiesa e la casa, tirò il campanello con una mano che gli tremava, e si premette l'altra sul petto per contenere i *battiti* del suo cuore, che gli saltava alla gola.

lampione

nerastro di colore che tende al nero
verdognolo di colore che tende al verde; qui, pallido, smorto, cereo
bizzarro strano, insolito, non comune
firmamento cielo, sfera celeste
battito qui, il battere, le pulsazioni del cuore

Una vecchia venne ad aprire, con un lume in mano.

Il ragazzo non poté parlare subito.

"Chi cerchi?" domandò quella, in spagnolo.

"L'ingegner Mequinez", disse Marco.

La vecchia fece il gesto di *incrociare* le braccia sul seno, e rispose *dondolando* il capo.

"Anche tu, dunque, cerchi l'ingegnere Mequinez! E mi pare che sarebbe tempo di smettere. Sono tre mesi oramai, che ci danno fastidio. Non basta che l'abbiano detto i giornali. E bisognerà farlo stampare agli angoli delle strade che il signor Mequinez è andato ad abitare a *Tucuman*!"

Il ragazzo fece un gesto di disperazione. Poi ebbe una reazione di rabbia. "E' una *maledizione* dunque! Io dovrò morire per la strada senza trovare mia madre! Io divento matto! Mi ammazzo! Dio mio! Come si chiama quel paese? Dov'è? A che distanza è?"

"Eh, povero ragazzo", rispose la vecchia, mossa da pietà, "non è una sciocchezza arrivarci! Saranno quattrocento o cinquecento miglia da qui, a dir poco."

Il ragazzo si coprì il viso con le mani; poi domandò piangendo: "E ora... come faccio?"

"Che vuoi che ti dica, povero ragazzo, - rispose la donna; - io non so."

Ma subito le venne un'idea e aggiunse in fretta: "Senti, ora che ci penso. Fa' una cosa. Gira a destra per la via, troverai alla terza porta un cortile; c'è un *capataz*, un *commerciante*, che parte domani mattina per Tucu-

---

incrociare qui, mettere le braccia l'una sull'altra come a formare una croce
dondolare muovere qualcosa ora verso destra ora verso sinistra
Tucuman vedi cartina a p. 22
maledizione atto del maledire
capataz (voce spagnola) capo
commerciante persona che svolge un'attività di commercio

man con le sue *carretas* e i suoi *buoi*; va' a vedere se ti vuole prendere con sé e portarti fino a Tucuman, in cambio dei tuoi servizi; ti darà forse un posto su un carro; va' subito."

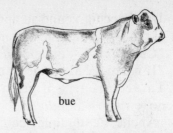

bue

Il ragazzo afferrò la sacca, ringraziò scappando, e dopo due minuti si trovò in un vasto cortile illuminato da *lanterne*, dove vari uomini lavoravano e mettevano

lanterna

sacchi di *frumento* sopra certi carri enormi, simili a *case mobili* di *saltimbanchi*, con il tetto rotondo e le ruote altissime; ed un uomo alto e con i baffi, avvolto in una specie di *mantello a quadretti* bianchi e neri, con due grandi *stivali*, dirigeva il lavoro. Il ragazzo si avvicinò a que-

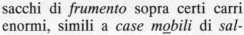

frumento

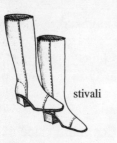

stivali

st'ultimo, e gli fece con timore la sua domanda, dicendo che veniva dall'Italia e che voleva andare a Tucuman per cercare sua madre.

---

carretas (voce spagnola) carri
casa mobile casa che si può trasportare da un luogo all'altro, per es. roulotte, caravan, ecc.
saltimbanco chi, per mestiere, fa spettacoli nel circo, per le strade, nelle feste di paese, ecc.
mantello a quadretti vedi illustrazione a p. 44

mantello a quadretti

Il capataz (questa parola significa capo, cioè il capo
che conduce il *convoglio* di carri) lo guardò dalla testa ai
piedi e rispose in modo deciso: "Non ho posto."

convoglio insieme di carri, auto o altro che si spostano insieme e in fila verso
uno stesso luogo

"Io ho quindici lire", rispose il ragazzo, *supplichevole*; "do le mie quindici lire. Durante il viaggio lavorerò. Andrò a pigliare l'acqua e la *biada* per le bestie, farò tutti i servizi. Un poco di pane mi basta. Mi faccia un po' di posto, signore!"

Il capataz tornò a guardarlo, e rispose in modo più gentile: "Non c'è posto... e poi... noi non andiamo a Tucuman, andiamo in un'altra città, *Santiago dell'Estero*. A un certo punto ti dovremmo lasciare, e avresti ancora un grande tratto di strada da fare a piedi."

"Ah! io ne farei il doppio!" esclamò Marco; "io camminerò, non ci pensi; arriverò in ogni maniera; mi faccia un po' di posto, signore, per carità, per carità non mi lasci qui solo!"

"Bada che è un viaggio di venti giorni!"

"Non importa."

"E' un viaggio duro!"

"Sopporterò tutto."

"Dovrai viaggiare solo!"

"Non ho paura di nulla. Purché ritrovi mia madre. Abbia compassione!"

Il capataz gli accostò al viso una lanterna e lo guardò. Poi disse: "Va bene."

Il ragazzo gli baciò la mano.

"Stanotte dormirai in un carro, - aggiunse il capataz, lasciandolo; - domani mattina alle quattro ti sveglierò. *Buenas noches*".

La mattina alle quattro, alla luce delle stelle, la lunga fila dei carri si mise in movimento con grande rumore: ogni carro era tirato da sei buoi, seguiti tutti da un gran-

---

supplichevole chi chiede in modo umile, chi prega qualcuno per avere qualcosa
biada cibo che si dà agli animali, come cavalli, mucche, ecc.
Santiago dell'Estero vedi cartina a p. 22
buenas noches (voce spagnola) buona notte

de numero di animali che servivano per sostituirli in caso di necessità.

Il ragazzo, svegliato e messo dentro a uno dei carri, sui sacchi, si addormentò subito, in modo profondo. Quando si svegliò, il convoglio era fermo in un luogo solitario, sotto il sole, e tutti gli uomini, i *peones*, stavano seduti in cerchio intorno a un grande pezzo di carne di *vitello*, che *arrostiva* all'aria aperta, infilato in una specie di *spadone* piantato in terra, accanto a un grande fuoco agitato dal vento. Mangiarono tutti insieme, dormirono e poi ripartirono; e così il viaggio continuò, regolato come una marcia di soldati.

spadone

Ogni mattina si mettevano in viaggio alle cinque, si fermavano alle nove, ripartivano alle cinque della sera, tornavano a fermarsi alle dieci. I peones andavano a cavallo e *stimolavano* i buoi con lunghe canne. Il ragazzo accendeva il fuoco per arrostire la carne, dava da mangiare alle bestie, puliva le lanterne, portava l'acqua da bere.

Il paese gli passava davanti come una visione confusa: vasti boschi di piccoli alberi bruni; villaggi di poche case sparse, con le *facciate* rosse e *merlate*; vastissimi spazi, forse antichi letti di grandi laghi salati, *biancheggianti* di sale fino dove arrivava la vista; e da ogni parte e sempre, pianura, solitudine, silenzio. Era raro che incontrassero due o tre viaggiatori a cavallo, seguiti da un

peones (voce spagnola) lavoratori a giornata
vitello vedi illustrazione a p. 39
arrostire cucinare un cibo mettendolo a diretto contatto con il fuoco
stimolare qui, spingere a fare qualcosa
facciate merlate vedi illustrazione a p. 47
biancheggiante di colore che tende al bianco

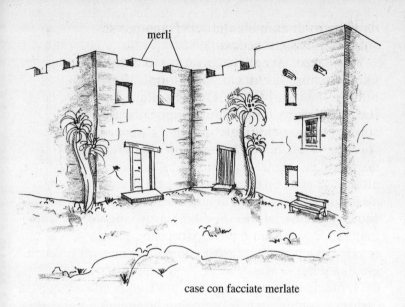

merli

case con facciate merlate

branco di cavalli sciolti, che passavano al *galoppo*, come un *turbine*.

I giorni erano tutti uguali, come sul mare; tristi e senza fine. Ma il tempo era bello.

Purtroppo i peones, come se il ragazzo fosse stato il loro servo, obbligato a servirli, esigevano di giorno in giorno sempre di più: alcuni lo trattavano *brutalmente*, con minacce; tutti si facevano servire senza riguardi; gli facevano portare carichi enormi di *foraggi*; lo mandavano a pigliare acqua a grandi distanze; e lui, distrutto dalla fatica, non poteva nemmeno dormire la notte, disturbato continuamente dai movimenti violenti del carro

branco qui, gruppo di cavalli
galoppo un tipo di andatura del cavallo
turbine movimento rapido e forte dell'aria; quindi, *come un turbine*, significa velocemente
brutalmente con modi scortesi, senza gentilezza
foraggio l'erba che si dà da mangiare agli animali

e dal rumore molto forte delle ruote e delle *sale* di legno. E inoltre, essendosi levato il vento, una terra sottile, *rossiccia* e grassa, che avvolgeva ogni cosa, penetrava nel carro, gli entrava sotto i vestiti, gli riempiva gli occhi e la bocca, gli toglieva la vista e il respiro, continua, opprimente, impossibile da sopportare.

Senza forze per le fatiche e per l'*insonnia*, con i vestiti strappati e sporchi, *rimproverato* e trattato male dalla mattina alla sera, il povero ragazzo diventava triste ogni giorno di più, e si sarebbe perduto d'animo completamente se il capataz non gli avesse rivolto ogni tanto qualche buona parola. Spesso, in un angolo del carro, non visto, piangeva con il viso contro la sua sacca, che oramai non conteneva altro che dei vestiti rotti e vecchi. Ogni mattina si alzava più debole e più triste, e guardando la campagna, vedendo sempre quella pianura senza confini e sempre uguale, come un oceano di terra, diceva tra sé: "Oh! fino a questa sera non arrivo, fino a questa sera non resisto! Oggi muoio per la strada!"

E le fatiche aumentavano, e veniva trattato sempre peggio. Una mattina, poiché aveva fatto tardi a portare l'acqua, in assenza del capataz, uno degli uomini lo picchiò. E da allora cominciarono a farlo per divertirsi; quando gli davano un ordine gli davano anche uno *scapaccione*, dicendo: "Prendi questo, *vagabondo!* "Porta questo a tua madre!"

Il cuore gli scoppiava; si *ammalò*, stette tre giorni nel

---

sala nei carri, asse di legno o di ferro intorno al quale gira la ruota
rossiccio di colore tendente al rosso
insonnia difficoltà ad addormentarsi
rimproverare dire ad una persona che ha sbagliato qualcosa
scapaccione colpo dato a qualcuno con la mano aperta, in genere dietro la testa
vagabondo chi non ha casa fissa e vive spostandosi da un luogo all'altro
ammalarsi prendere una malattia

coperta

carro, con una *coperta* addosso, tremando a causa della febbre, senza vedere nessuno, ad eccezione del capataz, che veniva a dargli da bere e a toccargli il polso. E allora credette di essere prossimo alla morte, e invocava con disperazione sua madre, chiamandola cento volte per nome: "Oh mia madre! madre mia! Aiutami! Vienimi incontro che muoio! O povera madre mia, non ti vedrò mai più! Povera madre mia, mi troverai morto per la strada!" E univa le mani sul petto e pregava.

Poi migliorò, grazie alle cure del capataz, e guarì; ma con la *guarigione* arrivò il giorno più terribile del suo viaggio, il giorno in cui doveva rimanere solo.

Da più di due settimane erano in cammino. Quando arrivarono al punto dove dalla strada di Tucuman si stacca quella che va a Santiago dell'Estero, il capataz gli annunciò che dovevano separarsi. Gli indicò a grandi linee il cammino da fare, gli legò la sacca sulle spalle in modo che non gli desse fastidio quando camminava e, *tagliando corto*, come se temesse di commuoversi, lo salutò. Il ragazzo fece appena in tempo a baciargli un braccio. Anche gli altri uomini, che lo avevano trattato in maniera

guarigione fine della malattia
tagliare corto interrompere improvvisamente un discorso

49

così dura, parve che provassero un po' di pietà a vederlo rimanere così solo, e gli fecero un cenno di addio, allontanandosi. E lui restituì il saluto con la mano, stette a guardare il convoglio fino a che si perse nella polvere rossa della campagna, e poi si mise in cammino, triste.

Una cosa, però, lo consolò subito un poco. Dopo tanti giorni di viaggio attraverso quella pianura immensa e sempre uguale, lui vedeva davanti a sé una catena di montagne altissime, azzurre, con le cime bianche, che gli ricordavano le Alpi, e gli davano come un senso di sentirsi vicino al suo paese.

Erano le Ande, la *spina dorsale* del continente americano, la catena immensa che si stende dalla *Terra del Fuoco* fino al *Mare glaciale del Polo Artico* per cento e dieci gradi di *latitudine*. Ed anche lo consolava il sentire che l'aria si faceva sempre più calda; e questo avveniva perché, risalendo verso nord, lui si avvicinava alle regioni *tropicali*.

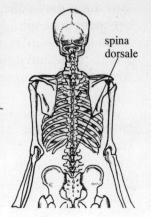

spina dorsale

Di tanto in tanto, a grandi distanze trovava dei piccoli gruppi di case, con una piccola bottega; e comprava qualche cosa da mangiare. Incontrava degli uomini a cavallo; vedeva ogni tanto delle donne e dei ragazzi seduti in terra, immobili e seri, delle facce completamente diverse da quelle a lui note, dal colore di terra, con gli occhi *obliqui*, con le ossa delle guance *sporgenti*, i quali lo guardavano fisso, e lo accompagnavano con lo sguardo, girando il capo lentamente, come *automi*. Erano *Indiani*.

Il primo giorno camminò fino a che ne ebbe la forza, e dormì sotto un albero. Il secondo giorno camminò assai meno, e con minore entusiasmo. Aveva le scarpe rotte, i piedi *spellati*, lo stomaco debole perché si era nutrito

Terra del Fuoco estremità meridionale dell'Argentina; vedi cartina a p. 22
Mare glaciale del Polo Artico mare del Polo Sud
latitudine la distanza di un luogo dall'equatore
tropicale dei tropici
obliquo che è inclinato, che non è diritto rispetto alla superficie su cui si trova o a cui si riferisce
sporgente qui, che si stende in avanti
automa chi si muove o agisce in modo meccanico, senza partecipazione
Indiano qui, indio, abitante primitivo, originario del luogo
spellato privo della pelle

male. Verso sera incominciò ad avere paura. Aveva sentito dire in Italia che in quei paesi c'erano dei serpenti: credeva di sentirli *strisciare*, si fermava, cominciava la corsa, gli correvano dei *brividi* nelle ossa. A volte provava una grande compassione di sé, e piangeva in silenzio, camminando. Poi pensava: "Oh quanto soffrirebbe mia madre se sapesse che ho tanta paura!" e questo pensiero gli dava di nuovo coraggio.

Poi, per non pensare alla paura che provava, pensava a tante cose di lei, richiamava alla mente le parole che gli aveva detto quando era partita da Genova, e l'atto con cui di solito gli sistemava le coperte sotto il mento, quando era a letto, e quando era bambino, che alle volte se lo pigliava fra le braccia, dicendogli: "Sta' un po' qui con me", e stava così molto tempo, con il capo appoggiato sul suo, pensando, pensando. E le diceva tra sé: "Ti rivedrò un giorno, cara madre? Arriverò alla fine del mio viaggio, madre mia?"

E camminava, camminava, in mezzo ad alberi sconosciuti, a vaste *piantagioni* di *canne da zucchero*, a *praterie* senza fine, sempre con quelle grandi montagne azzurre davanti, che tagliavano il cielo sereno con le loro altissime cime.

canne da
zucchero

---

strisciare muoversi su una superficie come fanno i serpenti
brivido sensazione fisica per cui tutto il corpo o alcune sue parti tremano per il freddo, per la paura o per una forte emozione
piantagione terreno dove si coltivano piante della stessa specie
prateria ampio terreno coperto di erba

Quattro giorni, cinque, una settimana passò. Le forze gli andavano rapidamente diminuendo, i piedi gli *sanguinavano*. Finalmente una sera, al tramonto del sole, gli dissero: "Tucuman è a cinque miglia di qui." Lui gettò un grido di gioia, e allungò il passo, come se avesse acquistato nuovamente, in un solo momento, tutto il vigore perduto. Ma fu una breve illusione. Le forze lo abbandonarono improvvisamente, e cadde sull'*orlo* di un *fosso*, *sfinito*. Ma il cuore gli batteva per la gioia.

orlo di un fosso

Il cielo, <u>fitto</u> di stelle splendissime, non gli era mai <u>parso</u> così bello. Lui contemplava le stelle, disteso sull'erba per dormire, e pensava che forse in quello stesso momento anche sua madre le guardava. E diceva: "O madre mia, dove sei? Che cosa fai in questo momento? Pensi a tuo figlio? Pensi al tuo Marco, che ti è tanto vicino?"

Povero Marco, se avesse potuto vedere in quale stato si trovava sua madre in quel momento, avrebbe fatto uno sforzo *sovrumano* per camminare ancora, e arrivare <u>da lei</u> qualche ora prima.

---

sanguinare versare, perdere sangue
sfinito molto stanco, debole, senza forze
sovrumano superiore a ciò che è umano, cioè molto grande

Era malata, a letto, in una camera a piano terra di una casa piccola ma elegante, dove abitava tutta la famiglia Mequinez, che le voleva molto bene, la curava e la assisteva. La povera donna era già malata quando l'ingegnere Mequinez era dovuto partire improvvisamente da Buenos Aires, e la sua salute non era affatto migliorata con l'aria buona di Cordova.

Ma poi, il non aver più ricevuto risposta alle sue lettere né dal marito né dal cugino, la preoccupazione sempre presente che fosse accaduta qualche grande disgrazia, l'ansia continua in cui era vissuta, incerta tra il partire e il restare, aspettando ogni giorno una notizia funesta, l'avevano fatta *peggiorare* molto. Da ultimo, le si era manifestata una malattia gravissima: un'*ernia intestinale strozzata*.

Da quindici giorni non si alzava dal letto. Era necessaria un'operazione per salvarle la vita. E proprio in quel momento, mentre il suo Marco la invocava, stavano accanto al suo letto il padrone e la padrona di casa, a parlarle con molta dolcezza perché si convincesse e si lasciasse operare, ma lei continuava a rifiutarsi, piangendo.

Un bravo medico di Tucuman era già venuto la settimana prima, senza però poterla convincere. "No, cari signori", lei diceva, - non serve a niente; non ho più la forza di resistere; morirei sotti i ferri del *chirurgo*. E' meglio che mi lasciate morire così. La vita oramai non ha più importanza. Tutto è finito per me. E' meglio che muoia prima di sapere cosa è accaduto alla mia famiglia."

---

peggiorare diventare peggiore; qui, stare peggio, quando una malattia diventa più grave
ernia intestinale strozzata blocco completo o parziale dell'intestino
chirurgo medico che effettua operazioni chirurgiche per curare una malattia

E i padroni a dirle di no, che si facesse coraggio, che alle ultime lettere mandate a Genova direttamente avrebbe ricevuto risposta, che si lasciasse operare, che lo facesse per amore dei suoi figli.

Ma quel pensiero dei suoi figli non faceva che aumentare l'angoscia e lo scoraggiamento profondo che la facevano star male da lungo tempo.

A quelle parole scoppiava a piangere. "Oh i miei figli! i miei figli! - esclamava, unendo le mani; - forse non ci sono più! E' meglio che muoia anche io. Vi ringrazio, buoni signori, vi ringrazio di cuore. Ma è meglio che muoia. Tanto non guarirei neanche con l'operazione, ne sono sicura. Grazie per tutte queste cure, buoni signori. E' inutile che dopo domani torni il medico. Voglio morire. E' destino che io muoia qui. Ho deciso."

E quelli ancora a consolarla, a ripeterle: "No, non dite questo"; e a prenderla per le mani e a pregarla. Ma lei allora chiudeva gli occhi, sfinita, e cadeva in un sonno leggero, che pareva morta.

E i padroni restavano lì un po' di tempo, alla luce *fioca* di un piccolo lume, a guardare con grande pietà quella madre *ammirevole*, che per salvare la sua famiglia era venuta a morire a seimila miglia lontano dalla sua patria, a morire dopo aver tanto sofferto, povera donna, così onesta, così buona, così poco fortunata.

Il giorno dopo, di buon mattino, con la sua sacca sulle spalle, con le spalle piegate in avanti e *zoppicante*, ma pieno di speranza, Marco entrava nella città di Tucuman, una delle più giovani e delle più ricche città della Repubblica Argentina.

fioco debole, scarso
ammirevole chi è da ammirare
zoppicare camminare in modo non normale a causa di malattia, di incidente o di stanchezza

55

Gli parve di rivedere Cordova, Rosario, Buenos Aires: erano quelle stesse vie diritte e lunghissime, e quelle stesse case basse e bianche; ma da ogni parte c'era una vegetazione nuova e magnifica, un profumo nell'aria, una luce meravigliosa, un cielo limpido e profondo, come lui non l'aveva mai visto, neppure in Italia.

Andando avanti per le vie, si sentì di nuovo agitato ed eccitato come a Buenos Aires; guardava le finestre e le porte di tutte le case; guardava tutte le donne che passavano, con una speranza *affannosa* di incontrare sua madre; avrebbe voluto chiedere a tutti, e non osava fermare nessuno.

Tutti, dagli usci, si giravano a guardare quel povero ragazzo con i vestiti consumati e pieno di polvere, che mostrava di venire da tanto lontano. E lui cercava fra la gente un viso che gli ispirasse fiducia, per rivolgergli quella terribile domanda, quando gli caddero gli occhi sopra un'insegna di bottega, su cui era scritto un nome italiano. C'erano dentro un uomo con gli occhiali e due donne.

Lui si avvicinò lentamente alla porta e, assunto un atteggiamento sicuro, domandò: "Mi saprebbe dire, signore, dove sta la famiglia Mequinez?"

"Dell'*ingeniero* Mequinez?" domandò il bottegaio a sua volta.

"Dell'ingegnere Mequinez" rispose il ragazzo, con un filo di voce.

"La famiglia Mequinez", disse il bottegaio, "non è a Tucuman."

Un grido di disperato dolore, come di una persona ferita da un *pugnale*, seguì quelle parole.

pugnale

---

affannoso qui, che causa preoccupazione, dolore, ansia
ingeniero ingegnere

Il bottegaio e le donne si alzarono, alcuni vicini accorsero.

"Che c'è? che hai, ragazzo?" disse il bottegaio, tirandolo nella bottega e facendolo sedere; "non c'è da disperarsi, che diavolo! I Mequinez non sono qui, ma poco lontano, a poche ore da Tucuman!"

"Dove? dove?" gridò Marco, saltando su come un *resuscitato*.

"A circa quindici miglia di qua, - continuò l'uomo, - in riva al *Saladillo*, in un luogo dove stanno costruendo una grande fabbrica di zucchero, un gruppo di case, c'è la casa del signor Mequinez, tutti lo sanno, ci arriverai in poche ore." "Ci sono stato io un mese fa", disse un giovane che era accorso al grido.

Marco lo guardò con gli occhi grandi e gli domandò subito, diventando pallido: "Avete visto la donna di servizio del signor Mequinez, l'italiana?"

"La *jenovesa*? L'ho vista."

Marco ruppe in un pianto *convulso*, a metà tra la gioia e l'ansia.

Poi disse con forza e decisione: "Dove si passa, presto, la strada, parto subito, indicatemi la strada!"

"Ma c'è una giornata di marcia, - gli dissero tutti insieme, - sei stanco, devi riposare, partirai domani mattina."

"Impossibile! Impossibile! - rispose il ragazzo. - Ditemi qual è la strada, non aspetto più un solo momento, parto subito, dovessi morire per strada!"

Quando videro che era così deciso, non si opposero più. "Dio ti accompagni", gli dissero. "Sta' attento alla via attraverso la *foresta*. Buon viaggio, italianito."

resuscitato persona morta che ritorna a vivere
Saladillo fiume dell'Argentina; vedi cartina a p. 22
jenovesa genovese
convulso molto agitato
foresta terreno molto esteso coperto da alberi e altro tipo di vegetazione

Un uomo lo accompagnò fuori di città, gli indicò il cammino, gli diede qualche consiglio e stette a vederlo partire. Dopo pochi minuti, il ragazzo scomparve, zoppicando, con la sua sacca sulle spalle, dietro ai fitti alberi che crescevano lungo la strada.

Quella notte fu terribile per la povera malata. Aveva dei dolori fortissimi, che la facevano urlare al punto da romperle le vene, e le davano dei momenti di *delirio*.

Le donne che l'assistevano non avevano la forza di sentirla. La padrona accorreva di tanto in tanto, *sgomenta*. Tutti cominciarono a temere che, se anche si fosse decisa a lasciarsi operare, il medico che doveva venire la mattina dopo sarebbe arrivato troppo tardi.

Nei momenti in cui era lucida, però, si capiva che la sua più terribile sofferenza non era causata dai dolori del corpo, ma dal pensiero della famiglia lontana. Pallida, *disfatta*, con il viso mutato, si metteva le mani nei capelli con un atto di *disperazione* che feriva l'anima, e gridava: "Dio mio! Dio mio! Morire tanto lontana, morire senza rivederli! I miei poveri figli, che rimangono senza madre, le mie creature, il povero sangue mio! Il mio Marco, che è ancora così piccolo, alto così, tanto buono e affettuoso! Voi non sapete che ragazzo era! Signora, se sapesse! Non me lo potevo staccare dal collo quando sono partita, *singhiozzava* da fare compassione; pareva che lo sapesse che non avrebbe mai più rivisto sua madre, povero Marco, povero bambino mio! Credevo che mi scoppiasse il cuore! Ah, se fossi morta allora, morta mentre mi diceva addio! Fossi morta sul colpo! Senza

---

delirio stato di confusione mentale dovuto a febbre alta per cui la persona colpita dice o fa delle cose assurde e senza senso
sgomento (agg.) molto preoccupato
disfatto qui, distrutto, senza speranza, senza forze
disperazione stato d'animo di chi non ha più alcuna speranza
singhiozzare piangere in modo dirotto e convulso

madre, povero bambino, lui che mi amava tanto, che aveva tanto bisogno di me, senza madre, nella miseria, dovrà andare mendicando, lui, Marco, Marco mio, che tenderà la mano, *affamato*! Oh! Dio eterno! No! Non voglio morire! Il medico! Chiamatelo subito! Venga, mi tagli, mi apra il seno, mi faccia impazzire, ma mi salvi la vita! Voglio guarire, voglio vivere, partire, fuggire, domani, subito! Il medico! Aiuto! Aiuto!"

affamato chi ha molta fame

E le donne le afferravano le mani, la toccavano, pregando, la facevano tornare in sé a poco a poco, e le parlavano di Dio e di speranza. E allora lei cadeva di nuovo in uno stato in cui sembrava morta, piangeva, con le mani nei capelli grigi, come una bambina, si lamentava a lungo, e mormorando di tanto in tanto: "Oh la mia Genova! La mia casa! Tutto quel mare!... Oh Marco mio, il mio povero Marco! Dove sarà ora, la povera creatura mia!"

Era mezzanotte; e il suo povero Marco, dopo aver passato molte ore sull'orlo di un fosso, senza più forze, in quel momento camminava attraverso una foresta vastissima di alberi enormi, mostri della vegetazione, dai *fusti* altissimi, simili a *pilastri* di *catte-*

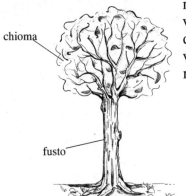

chioma

fusto

pilastro

drali, che univano a un'altezza meravigliosa le loro enormi *chiome* rese color dell'argento dalla luna.

In modo vago, poiché era quasi completamente buio, lui vedeva migliaia di tronchi di tutte le forme, diritti, *inclinati*, contorti, *incrociati* in atteggiamenti strani di minaccia e di lotta; alcuni distesi

cattedrale chiesa principale di una città, duomo
chioma qui, rami e foglie di un albero
inclinato che non sta diritto
incrociato che sta a forma di croce

a terra, come torri cadute tutte di un pezzo, e coperti di una vegetazione fitta e confusa, che pareva una folla agitata che se li *disputasse a palmo a palmo*; altri raccolti in grandi gruppi, diritti e stretti come fasci di *lance titaniche*, la cui punta toccasse le nuvole; una grandezza *superba*, un disordine *prodigioso* di forme immense, lo spettacolo più terribile e magnifico che gli avesse mai offerto la natura.

formica

A tratti lo prendeva un grande stupore. Ma subito l'anima sua si lanciava di nuovo verso sua madre. Ed era sfinito, con i piedi che sanguinavano, solo in mezzo a quella terribile foresta, dove vedeva solo di tanto in tanto delle piccole abitazioni umane, che ai piedi di quegli alberi parevano nidi di *formiche*, e qualche *bufalo* addormentato lungo la via; era sfinito, ma non sentiva la stanchezza; era solo, e non aveva paura.

La grandezza della foresta rendeva grande l'anima sua; il sentirsi vicino a sua madre gli dava la forza e il coraggio di un uomo; il ricordo del-

lancia

bufalo

---

disputare contendere, discutere, cercare di portare via qualcosa a qualcuno
a palmo a palmo qui, con determinazione, con forza, con forte volontà
titanico dei titani; qui, immenso, monumentale, molto grande
superbo qui, meraviglioso, eccezionale
prodigioso qui, straordinario, sovrumano, fantastico

61

l'oceano, degli *sgomenti*, dei dolori sofferti e vinti, delle fatiche sopportate, della *ferrea costanza* dimostrata, gli facevano alzare la fronte; tutto il suo forte e nobile sangue genovese gli ritornava al cuore in un'onda ricca di orgoglio e di coraggio.

E una cosa nuova accadeva in lui: che mentre fino ad allora aveva portato nella mente un'immagine della madre resa poco chiara da quei due anni di *lontananza*, in quei momenti quell'immagine gli si faceva chiara; lui rivedeva il suo viso intero e netto come da lungo tempo non l'aveva visto più; lo rivedeva vicino, luminoso, parlante; rivedeva i movimenti più piccoli dei suoi occhi e delle sue labbra, tutti i suoi atteggiamenti, tutti i suoi gesti, tutte le ombre dei suoi pensieri; e spinto da quei ricordi sempre più vicini e precisi, camminava a passo più veloce; e un nuovo affetto, una tenerezza difficile da esprimere a parole gli cresceva, gli cresceva nel cuore, facendogli scorrere giù per il viso delle lacrime dolci e silenziose; e andando avanti nel buio, le parlava, le diceva le parole che le avrebbe detto piano all'orecchio tra poco: "Sono qui, madre mia, eccomi qui, non ti lascerò mai più; torneremo a casa insieme, e io ti sarò sempre accanto sul bastimento, stretto a te, e nessuno mi staccherà mai più da te, nessuno, mai più, fin che avrai vita!"

E non si accorgeva intanto che sulle cime degli alberi enormi andava morendo la luce color argento della luna nel bianco delicato dell'alba.

Alle otto di quella mattina il medico di Tucuman, un giovane argentino, era già accanto al letto della malata,

sgomento (sost.) ansia, timore, paura, spavento
ferreo di ferro, cioè molto forte
costanza caratteristica di chi cerca di attuare i suoi propositi con fermezza, con decisione, senza cambiare mai idea
lontananza l'essere lontano

62

in compagnia di un *assistente*, a tentare per l'ultima volta di persuaderla a lasciarsi operare, e con lui ripetevano la stessa richiesta l'ingegnere Mequinez e sua moglie. Ma tutto era inutile.

La donna, sentendosi senza forze, non aveva più fiducia nell'operazione; lei era certissima o di morire durante l'operazione o di non sopravvivere che poche ore, dopo avere sofferto inutilmente a causa di dolori molto più forti di quelli che, in caso contrario, l'avrebbero uccisa naturalmente.

Il medico continuava a ripeterle: "Ma l'operazione è sicura, è certo che vi salverà la vita, purché ci mettiate un po' di coraggio! Come pure è certa la vostra morte, se vi rifiutate!"

Erano tutte parole buttate via. "No, - lei rispondeva, con voce bassa e debole, - ho ancora del coraggio per morire; ma non ne ho più per soffrire inutilmente. Grazie, signor dottore. E' destinato così. Mi lasci morire tranquilla."

Il medico, senza più speranza, rinunciò.

Nessuno parlò più. Allora la donna volse il viso verso la padrona, e le rivolse con voce di moribonda le sue ultime preghiere.

"Cara, buona signora", disse a grande fatica, singhiozzando, "lei manderà quei pochi soldi e le mie povere cose alla mia famiglia... per mezzo del signor Console. Io spero che siano tutti vivi. Il cuore mi dice che è così, in questi ultimi momenti. Mi farà la grazia di scrivere... che ho sempre pensato a loro, che ho sempre lavorato per loro... per i miei figli e che il mio solo dolore fu di non rivederli più... ma che sono morta con coraggio... rassegnata... benedicendoli; e che raccomando a mio ma-

---

assistente qui, medico che aiuta un altro medico più esperto

rito... e al mio figlio maggiore... il più piccolo, il mio povero Marco... che l'ho avuto in cuore fino all'ultimo momento..."

Ed esaltandosi tutto a un tratto, gridò unendo le mani: "Il mio Marco! Il mio bambino! La vita mia!..."

Ma girando gli occhi pieni di lacrime, vide che la padrona non c'era più: erano venuti a chiamarla di nascosto. Cercò il padrone: era sparito. Non restavano più che le due *infermiere* e l'assistente.

Si sentiva nella stanza vicina un rumore rapido di passi, un parlare in modo veloce e a bassa voce e un esclamare trattenuto.

La malata fissò sull'uscio gli occhi bagnati di lacrime, aspettando. Dopo alcuni minuti vide comparire il medico, con un viso diverso dal solito; poi la padrona e il padrone, anch'essi con il viso diverso. Tutti e tre la guardarono con un'espressione singolare, e si scambiarono alcune parole a bassa voce. Le parve che il medico dicesse alla signora: "Meglio subito."

La malata non capiva.

"*Josefa*, - le disse la padrona con la voce che le tremava. - Ho una buona notizia da darvi. Preparate il cuore a una buona notizia."

La donna la guardò con attenzione.

"Una notizia, - continuò la signora, sempre più agitata, - che vi darà una grande gioia."

La malata spalancò gli occhi.

"Preparatevi, - proseguì la padrona, - a vedere una persona... a cui volete molto bene."

La donna alzò il capo con uno scatto pieno di improvviso vigore, e cominciò a guardare rapidamente ora la

---

infermiere persona che lavora negli ospedali, aiuta i medici e si occupa dei pazienti
Josefa Giuseppa

signora ora l'uscio, con gli occhi *sfolgoranti*.

"Una persona, - aggiunse la signora, diventando pallida, - arrivata or ora... nessuno la aspettava."

"Chi è?" gridò la donna con una voce *strozzata* e stra-
na, come di persona che ha paura.

Un istante dopo gettò un grido altissimo, balzando a
sedere sul letto, e rimase immobile, con gli occhi spalan-
cati e con le mani alle *tempie*, come davanti a un'immagine sovrumana.

Marco, *lacero* e pieno di
polvere, era là in piedi sulla
soglia, trattenuto per un
braccio dal dottore.

tempia—

La donna urlò tre volte:
"Dio! Dio! Dio mio!"

Marco si lanciò avanti, lei
allungò le braccia magre, e
stringendolo al seno con la
forza di una tigre, cominciò
a ridere violentemente e a
singhiozzare, ma senza lacrime, tanto che cadde di nuovo
sul cuscino, soffocata.

Ma si riprese subito e gridò pazza di gioia, riempien-
dogli il capo di baci: "Come sei arrivato qui? Perché?
Sei tu? Come sei cresciuto! Chi t'ha condotto? Sei solo?
Non sei malato? Sei tu, Marco! Non è un sogno! Dio
mio! Parlami!"

Poi cambiando tono improvvisamente: "No! Taci!
Aspetta!"

E girandosi verso il medico, disse in fretta: "Presto,

sfolgorante lucido, luccicante
strozzata qui, voce che esce dalla gola con difficoltà, a scatti
lacero con i vestiti sporchi, strappati e consumati

65

subito, dottore. Voglio guarire. Sono pronta. Non perda un momento. Conducete via Marco che non senta. Marco mio, non è nulla. Mi racconterai. Ancora un bacio. Va'. Eccomi qui, dottore."

Marco fu portato via. I padroni e le donne uscirono in fretta; rimasero il chirurgo e l'assistente, che chiusero la porta.

Il signor Mequinez tentò di tirare Marco in una stanza lontana; ma fu impossibile; lui pareva inchiodato al pavimento.

"Cosa c'è? - domandò. - Cos'ha mia madre? Cosa le fanno?"

E allora il Mequinez, piano, tentando sempre di condurlo via: "Ecco. Senti. Ora ti dirò. Tua madre è malata, bisogna farle una piccola operazione, ti spiegherò tutto, vieni con me."

"No, - rispose il ragazzo, rimanendo immobile, - voglio star qui. Mi spieghi qui."

L'ingegnere aggiungeva parole su parole, tirandolo: il ragazzo cominciava ad aver paura e a tremare.

A un tratto un grido acutissimo, come il grido di un ferito a morte, si sentì in tutta la casa.

Il ragazzo rispose con un altro grido disperato: "Mia madre è morta!"

Il medico comparve sull'uscio e disse: "Tua madre è salva."

Il ragazzo lo guardò un momento e poi si gettò ai suoi piedi singhiozzando: "Grazie, dottore!"

Ma il dottore lo fece alzare subito, dicendo: "Alzati!... Sei tu, *eroico* fanciullo, che hai salvato tua madre."

eroico che si comporta come un eroe

Esercizi

1. Completa la griglia con le informazioni tratte dal testo, come nell'esempio:

città	ordine di arrivo	tempo per raggiungere la località	persone che incontra	quali informazioni riceve
Bahia Blanca				
Boca				
Buenos Aires	1	27 giorni	1. una donna 2. la fam. Zeballos	1. la madre non vive più lì 2. la famiglia Mequinez è a Cordova
Cordova				
Rosario				
Saladillo				
Santiago				
Tucuman				

2. Completa le frasi con la congiunzione giusta, scegliendola fra quelle in parentesi

1. Marco rimase seduto a terra per parecchio tempo (affinché/finché) _____ fu scosso da una voce.

2. Mi accontento di vivere di pane nero (perché/purché) _____ possa partire presto.

3. Una mattina, (benché/poiché) _____ aveva fatto tardi a portare l'acqua, uno degli uomini lo picchiò.

4. I signori Mequinez cercavano di persuaderla a lasciarsi operare, (ma/oppure/e) _____ la donna continuava a rifiutarsi.

5. La donna disse: "Conducete via Marco (affinché/finché) _____ non senta."

6. Ho letto quel libro (perché/benché) _____ debbo prepararmi per l'esame.

7. Non potremo raggiungere il paese (finché/quando/mentre) _____ non ripareranno il ponte.

8. Gli aerei non partono (perché/purché) _____ è scesa una nebbia fittissima.

9. Stavamo guardando un film giallo (quando/mentre) _____ è mancata la corrente.

10. Devi parlare più ad alta voce (finché/affinché) _____ tutti ti sentano.

3. Completa il testo con le parole che seguono:

> *allora - anche - così - e (2 v.) - finché - invece - ma (2 v.) - mentre - perché - poiché - purtroppo - quando - sebbene*

1_____ percorrevo la strada di casa, un vecchio mendicante mi chiamò. 2_____ fossi già in ritardo, mi fermai 3_____ ero rimasto colpito dalla sua voce: aveva l'aspetto di un uomo molto vecchio, 4_____ la sua voce era quella di un giovane.

5_____ mi tese la mano capii che voleva dei soldi; 6_____ mi frugai nelle tasche 7_____ non trovai né portafoglio, né orologio, né fazzoletto: avevo dimenticato tutto nell'altra giacca.

8_____ il mendicante aveva ancora la mano tesa io, che non sapevo che altro fare, gliela strinsi forte 9_____ gli dissi che 10_____ non avevo nulla da dargli. Mi aspettavo di leggere la delusione sul volto di quell'uomo, 11_____ il mendicante sorrise 12_____ disse che 13_____ le mie parole gentili erano un'elemosina.

14_____ mi allontanai e lui rimase a guardarmi 15_____ non girai l'angolo.

4. Scegli la preposizione giusta

1. Quel ragazzo è figlio (da / di) _____ mia sorella.

2. Gradisce una tazza (da / di) _____ tè ?

3. Quest'anno per il mare ho comprato un nuovo costume (da / di) _____ bagno.

4. Per il viaggio le abbiamo regalato un ferro (da /di) _____ stiro portatile.

5. Metti a tavola sia i bicchieri (da / di) _____ acqua che quelli (da / di) _____ vino.

6. Purtroppo gli impegni di lavoro mi lasciano poco tempo (da / di) _____ dedicare alla lettura.

7. Luciano ha conseguito il diploma (da / di) _____ ragioniere con il massimo dei voti.

8. Non mi piacciono le auto (da / di) _____ corsa: le trovo scomode.

9. Ho finito la schiuma (da / di) _____ barba: puoi comprarmela quando esci ?

10. A Roma ho pranzato in un ristorante (da / di) _____ lusso.

5. Sostituisci le espressioni sottolineate con un nome

> Con questo stato d'animo arrivò, <u>allo spuntare del sole</u>, di fronte alla città di Rosario.
> Con questo stato d'animo arrivò, *all'alba*, di fronte alla città di Rosario.

1. <u>Il pensare</u> che la sua famiglia era lontana le procurava una terribile sofferenza.

2. <u>L'essere poveri</u> ha spinto la madre di Marco ad emigrare.

3. <u>Dormire bene</u> è la cura di molti mali.

4. Ogni essere umano ha diritto <u>a vivere in modo dignitoso</u>.

5. Se Leonardo sta così male è a causa dell' eccessivo <u>fumare</u>.

6. In quel ristorante <u>il mangiare</u> è così scadente che la salute dei clienti è in serio pericolo.

7. In certe situazioni <u>tacere</u> è la soluzione migliore.

8. Stabilirono <u>di partire</u> alle 8 perché avrebbero trovato meno traffico.

9. Prima di <u>cenare</u> mi farò un bagno caldo.

10. Tutti gli hanno consigliato <u>di studiare le</u> lingue straniere.

6. Qual è il frutto dei seguenti alberi?
Non dimenticare di scrivere l'articolo!

albero	frutto
(lo) l'arancio	*(la) l'arancia*
il fico	
il pero	
il melo	
(lo) l'olivo	
il ciliegio	
il mandarino	
il banano	
il limone	
(lo) l'albicocco	
il pesco	
il mandorlo	
il nespolo	
il castagno	
il melograno	
il pompelmo	
il noce	
il cachi	
il susino	
il nocciolo	
il mango	

7. **Collega il nomi collettivi della colonna A ai nomi corrispondenti della colonna B**

A	B
branco	poliziotti
gregge	calciatori
sciame	cavalli
mandria	uccelli
stormo	studenti
folla	api
flotta	pecore
mobilia	gente
squadra	navi
classe	mobili
pattuglia	buoi

8. Quali sono i falsi alterati?

Alcuni nomi appaiono come alterati di altri ma, in realtà, non lo sono. Trovali tra quelli della colonna di destra e cercane il significato.

colle	colletto	*falso*
botte	bottone	
ragazzo	ragazzino	
vino	vinello	
matto	mattone	
libro	libricino	
mela	melone	
mulo	mulino	
uomo	omaccio	
macchina	macchinone	
viso	visone	
tifo	tifone	
matto	mattino	
tosse	tossina	
biglietto	bigliettino	
stanza	stanzaccia	
barca	barcone	
becco	becchino	

9. Collega ogni proverbio con la spiegazione giusta

1. Chi tardi arriva male alloggia.
2. Chi la fa l'aspetti.
3. Chi non risica non rosica.
4. Chi la dura la vince.
5. Chi non semina non raccoglie.
6. Chi s'assomiglia si piglia.
7. Chi si scusa si accusa.
8. Chi tace acconsente.
9. Chi va con lo zoppo impara a zoppicare.
10. Chi vuole vada e chi non vuole mandi.

a. chi non rischia non ottiene nulla.
b. se una persona si giustifica senza necessità è probabile che sia, o si senta, colpevole.
c. chi giunge in ritardo trova posto scomodo o non ne trova affatto.
d. le persone che hanno un carattere simile tendono a stare insieme.
e. chi vuole ottenere un risultato deve agire di persona, invece di incaricare altri.
f. le persone prendono le abitudini, specie se negative, di coloro che frequentano.
g. chi non ha lavorato al momento giusto non può raccogliere frutti.
h. chi si impegna con fermezza e costanza alla fine ottiene i risultati desiderati.
i. se una persona non manifesta il suo dissenso, vuol dire che è d'accordo.
j. chi danneggia gli altri deve aspettarsi di ricevere uguale o simile danno.

1__; 2__; 3__; 4__; 5__; 6__; 7__; 8__; 9__; 10___.

10. **Completa le frasi con le forme del periodo ipotetico dell'irrealtà, come nell'esempio:**

> Ti avrei accompagnato volentieri se *me lo avessi chiesto.*

1. Marco non sarebbe partito per l'Argentina, se sua madre _____ .

2. Sarebbe stato facile rintracciare la madre di Marco, se lei _____ .

3. La madre di Marco non si sarebbe lasciata operare, se Marco _____ .

4. A Rosario Marco avrebbe dovuto mendicare, se il contadino lombardo_____ .

5. Sarei partita il giorno prima, se _____ .

6. Non lo avrei sposato, se _____ .

7. Il viaggio in treno sarebbe stato meno faticoso, se _____ .

8. Lo avremmo aiutato, se _____ .

9. Credo che ti avrebbero avvertito, se _____ .

10. Avrebbero conservato la nostra stima, se _____ .

11. Riscrivi le seguenti frasi trasformando i participi passati in proposizioni esplicite, come negli esempi:

> Il libro <u>letto</u> da Maria è un capolavoro della letteratura contemporanea.
> Il libro *che* Maria *ha letto* è un capolavoro della letteratura contemporanea.
>
> <u>Arrivati</u> tardi alla stazione, persero l'ultimo treno utile per ritornare a casa.
> *Poiché arrivarono* tardi alla stazione, persero l'ultimo treno utile per ritornare a casa.

1. <u>Trascorso</u> un anno dalla partenza della madre, non ricevettero più lettere.

   _____

2. I passeggeri, <u>distesi</u> immobili sulle tavole, parevano tutti morti.

   _____

3. <u>Arrivato</u> all'inizio della prima via, fermò un uomo e lo pregò di indicargli la strada.

   _____

4. <u>Scosso</u> da una voce, si svegliò.

   _____

5. Quando si svegliò, vide in fondo al vagone tre uomini <u>avvolti</u> in scialli di vari colori.

   _____

6. <u>Saputo</u> del suo arrivo ho organizzato una festa con tutti i compagni di liceo.

_____

7. Il cane, <u>istruito</u> bene, farà buona guardia alla casa.

_____

8. Quel povero ragazzo, <u>rimasto</u> senza famiglia, dovette cominciare a mendicare.

_____

9. <u>Innamorato</u> pazzo di quella donna, lasciò tutto e fuggì via con lei.

_____

10. Appena <u>informato</u> dell'incidente, corsi subito in ospedale.

_____

12. **Riscrivi in forma narrativa (discorso indiretto) il dialogo che si svolge tra Marco e il signor Zeballos (nel testo a p. 27 e 28)**

Il signor Zeballos guardò fisso un momento Marco e gli domandò in cattivo italiano se sua madre fosse genovese.

_____

_____

_____

_____

_____

_____

_____

_____

_____

_____

_____

_____

_____

13. Completa il brano con le parole seguenti:

> a - alberghi - anche - anni - avrebbe - che - Console - dei - di - disparte - disprezzo - era - facevano - Genova - insieme - la - ladro - lo - non - nuova - occhi - offende - padre - paesi - piroscafo - potuto - sanno - secondo - soldi - sua - tasca - tre - tutti - viaggiatori.

Un piroscafo partì da Barcellona, città della Spagna per Genova, e c'erano a bordo francesi, italiani, spagnoli, svizzeri. C'era fra gli altri un ragazzo di undici 1_____ , mal vestito, solo, che se ne stava sempre in 2_____, come un animale selvatico, guardando tutti con 3_____ feroci. Ed aveva ben ragione di guardare 4_____ con occhi feroci. Due anni prima suo 5_____ e sua madre, contadini dei dintorni di Padova, 6_____ avevano venduto al capo di una compagnia 7_____ saltimbanchi; il quale se l'era portato attraverso 8_____ Francia e la Spagna, picchiandolo sempre e 9_____ sfamandolo mai. Arrivato a Barcellona, però, il ragazzo 10_____ fuggito ed era corso a chiedere protezione al 11_____ d'Italia. Questi l'aveva imbarcato su quel 12_____, dandogli una lettera per il questore di 13_____. Il ragazzo era lacero e malaticcio.

Tutti lo guardavano, gli 14_____ domande, ma lui non rispondeva. Tre 15_____, però, a furia di domande, riuscirono 16_____ farlo parlare e lui raccontò la 17_____ storia. Quei tre viaggiatori non erano italiani, ma capirono, e gli diedero 18_____ soldi. Il ragazzo mise il denaro in 19_____ e ringraziò pensando che finalmente avrebbe 20_____comprare qualcosa da mangiare e una giacca 21_____. Mentre pensava a questo, i 22_____ viaggiatori discorrevano dei loro viaggi e dei 23_____ che avevano veduto. Arrivarono a parlare 24_____ dell'Italia. Uno cominciò a lamentarsi degli 25_____, un altro della ferrovia, e poi tutti 26_____ cominciarono a dir male di ogni cosa. Uno 27_____ preferito viaggiare in Lapponia; un altro diceva 28_____ in Italia erano tutti truffatori e briganti; il terzo, che gli impiegati italiani non 29_____ leggere. "Un popolo ignorante" ripetè il primo. "Sporco", aggiunse il 30_____. "La..." esclamò il terzo, che voleva dire 31_____, ma non potè finire la parola: una tempesta di 32_____ si rovesciò sulle loro teste. "Ripigliatevi i vostri soldi" disse con 33_____ il ragazzo "io non accetto l'elemosina da chi 34_____ il mio paese".

(da "Il piccolo patriota padovano", in *Cuore*)

14. Prova a...

...scrivere la lettera che la famiglia di Marco invia al console italiano di Buenos Aires.

_____

_____

_____

_____

_____

_____

_____

_____

_____

_____

_____

_____

_____

_____

_____

_____

_____

15. Prova a...

...immaginare e scrivere il seguito di questo racconto.

_____

_____

_____

_____

_____

_____

_____

_____

_____

_____

_____

_____

_____

_____

_____

_____

16. Prova a...

...raccontare per iscritto un episodio di eroismo a cui hai assistito o di cui sei stato protagonista.

_____

_____

_____

_____

_____

_____

_____

_____

_____

_____

_____

_____

_____

_____

_____

17. Prova a...

...*immaginare di viaggiare in un paese straniero senza conoscerne la lingua e senza molti soldi.*
Scrivi che cosa faresti.

_____

_____

_____

_____

_____

_____

_____

_____

_____

_____

_____

_____

_____

_____

_____

18. Parliamone insieme

– Esiste o è mai esistito il problema dell'emigrazione nel tuo paese?

– Se sì, quali sono le ragioni che spingono o hanno spinto ad emigrare?

– Il tuo paese ospita molti immigrati?

– Quali sono le loro condizioni di vita?

– Quali sono i lavori più diffusi tra gli immigrati nel tuo paese?

Chiavi

Esercizio 1

città	ordine di arrivo	tempo per raggiungere la località	persone che incontra	quali informazioni riceve
Bahia Blanca	——	——	——	——
Boca	2	2 ore	un signore molto conosciuto	indicazioni per raggiungere Rosario
Buenos Aires	1	27 giorni	1. una donna 2. la famiglia Zeballos	1. la madre non vive più lì 2. la famiglia Mequinez è a Cordova
Cordova	4	1 giorno	1. una vecchia 2. il capataz	1. la famiglia Mequinez è a Tucuman 2. come procurarsi un posto sul convoglio che va verso Tucuman
Rosario	3	3 giorni	1. il fattore 2. il contadino lombardo	1. il signore a cui era stato raccomandato non è più a Rosario
Saladillo	6	1 giorno	1. la famiglia Mequinez 2. il dottore 3. la madre	la madre deve essere operata per salvarsi
Santiago	——	——	——	——
Tucuman	5	3 settimane	un uomo	la famiglia Mequinez abita a 15 miglia da Tucuman

Esercizio 2

1. finché 2. purché 3. poiché 4. ma 5. affinché 6. perché 7. finché 8. perché 9. quando 10. affinché.

Esercizio 3

1. Mentre, 2. Sebbene, 3. perché, 4. ma, 5. Quando, 6. allora, 7. ma, 8. Poiché, 9. e, 10. purtroppo, 11. invece, 12. e, 13. anche, 14. Così, 15. finché.

Esercizio 4

1. di 2. di 3. da 4. da 5. da; da 6. da 7. di 8. da 9. da 10. di.

Esercizio 5
1. Il pensiero 2. La povertà 3. Una buona dormita / un buon sonno 4. a una vita dignitosa 5. dell'eccessivo fumo 6. il cibo 7. il
silenzio 8. la partenza 9. cena 10. lo studio delle.

Esercizio 6
il fico; la pera; la mela; (la) l'oliva; la ciliegia; il mandarino;
la banana; il limone; (la) l'albicocca; la pesca; la mandorla; la
nespola; la castagna; la melagrana; il pompelmo; la noce; il
cachi; la susina; la nocciola; il mango.

Esercizio 7
gregge-pecore; sciame-api; mandria-buoi; stormo-uccelli; fol-
la-gente; flotta-navi; mobilia-mobili; squadra-calciatori; clas-
se-studenti; pattuglia-poliziotti.

Esercizio 8
I falsi alterati sono: bottone, mattone, melone, mulino, visone, ti-
fone, mattino, tossina, becchino.

Esercizio 9
1c; 2j; 3a; 4h; 5g; 6d; 7b; 8i; 9f; 10e.

Esercizio10
Non c'è chiave perché la risposte sono libere. Per le frasi 1, 2, 3 e
4 bisogna però rispettare il contenuto del testo.

Esercizio 11
1. Dopo che era trascorso un anno dalla partenza della madre, non
   ricevettero più lettere.
2. I passeggeri, che erano distesi immobili sulle tavole, parevano
   tutti morti.
3. Quando/Appena arrivò all'inizio della prima via, fermò un uomo
   e lo pregò di indicargli la strada.
4. Poiché fu scosso da una voce, si svegliò.
5. Quando si svegliò, vide in fondo al vagone tre uomini che erano
   avvolti in scialli di vari colori.
6. Quando/Appena ho saputo del suo arrivo ho organizzato una festa con tutti i compagni di liceo.
7. Il cane, se/dopo che sarà istruito bene, farà buona guardia alla
   casa.
8. Quel povero ragazzo, poiché/dato che era rimasto senza famiglia,
   dovette cominciare a mendicare.

9. Poiché era innamorato pazzo di quella donna, lasciò tutto e fuggì via con lei.
10. Appena fui informato dell'incidente, corsi subito in ospedale.

Esercizio 12
Forma narrativa suggerita:
Il signor Zeballos guardò fisso un momento Marco e gli domandò in cattivo italiano se sua madre fosse genovese. Marco rispose di sì. Il signor Zeballos gli disse di sapere con certezza che la donna di servizio genovese era andata con i Mequinez.
Marco chiese dove fossero andati ed il signor Zeballos rispose che erano andati a Cordova, una città. Il ragazzo fece un sospiro; poi, rassegnato, disse che sarebbe andato a Cordova. Il signor Zeballos, guardandolo con aria di pietà, gli disse che Cordova era a centinaia di miglia di là. Marco diventò pallido come un morto, e si appoggiò con una mano al cancello.
Il signor Zeballos, mosso a compassione, aprendo una porta, lo invitò ad entrare un momento, per vedere se si poteva fare qualche cosa per aiutarlo.
Si sedette, lo fece sedere, gli fece raccontare la sua storia, lo stette ad ascoltare con molta attenzione, rimase un po' a pensare; poi, accertatosi che Marco aveva poco denaro, dopo aver pensato altri cinque minuti, si sedette a un tavolino, scrisse una lettera, la chiuse, la diede al ragazzo e gli disse di andare con quella lettera alla Boca, che era una piccola città mezza genovese, a due ore di strada di là.
Tutti gli avrebbero saputo indicare il cammino. Marco doveva andare là e cercare il signore a cui era diretta la lettera e che era conosciuto da tutti. Doveva portagli quella lettera e lui l'avrebbe fatto partire il giorno dopo per la città di Rosario, e l'avrebbe raccomandato a qualcuno lassù, che avrebbe pensato a fargli proseguire il viaggio fino a Cordova, dove avrebbe trovato la famiglia Mequinez e sua madre.
Gli mise in mano qualche lira e gli disse di andare e di farsi coraggio, perché lì aveva dappertutto dei compaesani e non sarebbe rimasto abbandonato.
Il ragazzo lo ringraziò e, senza trovare altre parole, uscì con la sua sacca.

Esercizio 13
1. anni; 2. disparte; 3. occhi; 4. tutti; 5. padre; 6. lo; 7. di; 8. la; 9. non; 10. era; 11. Console; 12. piroscafo; 13. Genova; 14. facevano; 15. viaggiatori; 16. a; 17. sua; 18. dei; 19. tasca; 20. potuto; 21. nuova; 22. tre; 23. paesi; 24. anche; 25. alberghi; 26. insieme;

27. avrebbe; 28. che; 29. sanno; 30. secondo; 31. ladro; 32. soldi; 33. disprezzo; 34. offende.

Esercizio 14
Non c'è chiave perché le risposte sono libere.

Esercizio 15
Non c'è chiave perché le risposte sono libere.

Esercizio 16
Non c'è chiave perché le risposte sono libere.

Esercizio 17
Non c'è chiave perché le risposte sono libere.

Esercizio 18
Non c'è chiave perché le risposte sono libere.

Finito di stampare nel mese di aprile 1999
da Guerra guru s.r.l. - Via A. Manna, 25 - 06132 Perugia
Tel. +39 075 5289090 - Fax +39 075 5288244
E-mail: geinfo@guerra-edizioni.com